«Sie haben
die Wahl,
Miss Fisher ...

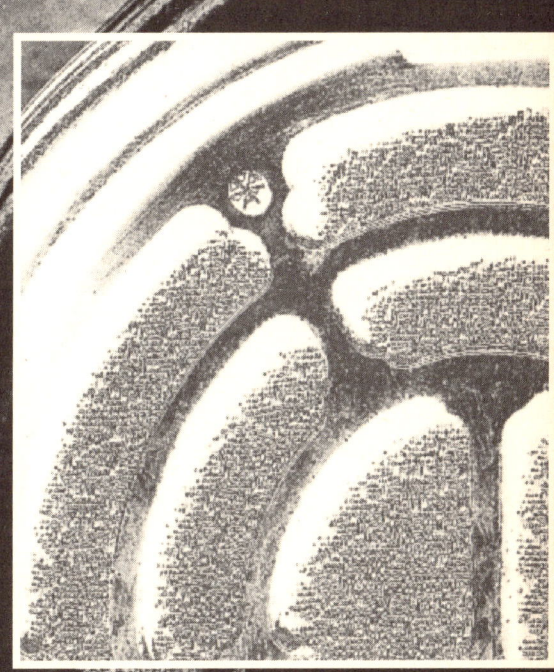

ENTWEDER SIE
SCHLIESSEN SICH
MIR AN, ODER ...

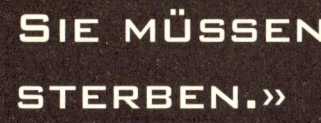

Sie müssen

sterben.»

Kerry Greenwood

Miss Fisher und der Schneekönig

Mörderische Fälle für eine Lady

Roman
Deutsch von
Volker Oldenburg

Deutsche Erstausgabe

Veröffentlicht im Rowohlt Taschenbuch Verlag GmbH,
Reinbek bei Hamburg, Januar 1999
Copyright © 1999 by Rowohlt Taschenbuch Verlag GmbH,
Reinbek bei Hamburg
Alle deutschen Rechte vorbehalten
Copyright © 1989 by Kerry Greenwood
«Cocaine Blues» first published 1989
by McPhee Gribble Penguin Books, Australia
Redaktion Sabine Lammers
Umschlaggestaltung Barbara Hanke
Copyright © des Umschlagfotos und der Fotos Seite 1–3:
Stock Imagery/Bavaria
Satz Sabon (PageOne)
Gesamtherstellung Clausen & Bosse, Leck
Printed in Germany
ISBN 3 499 26103 0

Meiner Mutter
und meinem Vater gewidmet

EINS

Hinausfahren wird inmitten meergrünen Prunks
... auf ihrem rückkehrlosen Weg.

Armselige Nackte bei der Ausfahrt in den Frühling,
Wallace Stevens

Die Scheiben der Terrassentür klirrten. Die Gäste schrien. Zwischen den erschreckten Ausrufen war deutlich der gellende Schrei Madame St. Clairs, der Gattin des Botschafters, herauszuhören. «Himmel! Meine Diamanten!»

Phryne Fisher verharrte schweigend und tastete nach einem Feuerzeug. Bis jetzt war es ein ermüdender Abend gewesen. Das Essen war, nach all den akribischen Vorbereitungen zu diesem anerkanntermaßen größten gesellschaftlichen Ereignis des Jahres, ein kulinarisches Meisterwerk, doch die Unterhaltung hatte sie gelangweilt. Sie saß zwischen einem pensionierten Oberst der Indischen Armee und einem Amateurcricketspieler. Der Oberst hatte sich auf ein paar lobende Bemerkungen über das Essen beschränkt, doch Bobby konnte jedes Ergebnis aller Cricketspiele der letzten zwei Jahre aufsagen – was er dann auch tat. Dann waren die Lichter ausgegangen, und das Fenster war eingeworfen worden. Alles, was vom Landadel und seinen Crikketmatches ablenkte, war eine gute Sache, dachte sich Phryne, schließlich fand sie das Feuerzeug.

Beim Aufflackern sah sie das heillose Durcheinander. Die jungen Frauen, die gewohnheitsmäßig kreischten, kreischten auch jetzt. Phrynes Vater brüllte ihre Mutter an. Auch das war nichts Ungewöhnliches. Einige der Herren hatten Streichhölzer angezündet, und einer hatte an der Klingel gezogen. Phryne arbeitete sich zur Tür vor und schlüpfte hinaus in die Empfangshalle. Die Tür zum Sicherungskasten stand offen, und sie drückte den Schalter der Hauptsicherung herunter. Die Lichterflut brachte alle, außer denen, die sich mit Gin hatten vollaufen lassen, wieder zur Besinnung. Madame St. Clair griff sich mit einer melodramatischen Geste an die Kehle und wurde gewahr, daß ihre diamantene Halskette, die angeblich einige der Steine aus dem Collier der Zarin enthielt, verschwunden war. Ihr Schrei übertraf alle ihre vorhergegangenen Versuche.

Bobby, der überraschend schnell begriffen hatte, was geschehen war, keuchte: «Himmel! Man hat sie bestohlen!» Phryne entwischte dem allgemeinen Geplapper und ging nach draußen, um den Boden vor dem zerbrochenen Fenster abzusuchen. Von dort konnte sie hören, wie Bobby unbefangen sagte: «Unser guter Dieb muß das Fenster eingeworfen haben, hereingehüpft sein und sich seine Beute geschnappt haben! Dreist, was?»

Phryne knirschte mit den Zähnen. Sie stieß mit dem Zeh an einen Ball und hob ihn auf – ein Cricketball. Unter ihren Füßen knirschte Glas – das meiste davon lag draußen. Phryne rief einen vorbeigehenden Gärtnerjungen zu sich und beauftragte ihn, eine Leiter in den Ballsaal zu bringen.

Als sie zu den anderen zurückkehrte, nahm sie ihren Vater auf die Seite.

«Stör mich jetzt nicht, Phryne. Ich werde jeden einzeln durchsuchen müssen. Was wird der Duke bloß denken?»

«Wenn du den jungen Bobby von den anderen absondern

würdest, Vater, könnte ich dir viel von dieser peinlichen Angelegenheit ersparen», flüsterte sie. Ihr Vater wurde so rot
wie eine Zwetschge.

«Was soll das heißen? Er kommt aus guter Familie, sein
Stammbaum reicht zurück bis zu Wilhelm dem Eroberer.»

«Sei nicht töricht, Vater, ich sage dir, er ist es gewesen,
und wenn du ihn nicht absonderst und dabei unauffällig
vorgehst, wird der Duke sich auf den Schlips getreten fühlen. Bring ihn einfach hierher, zusammen mit dem langwei-
ligen Oberst. Er kann uns als Zeuge dienen.»

Phrynes Vater tat, wie ihm geheißen, und die beiden Herren traten mit dem jungen Mann zwischen ihnen in das
Spielezimmer.

«Was soll das Ganze eigentlich?» fragte Bobby. Phryne
funkelte ihn an.

«Sie haben das Fenster eingeworfen, Bobby, und Sie haben die Kette gestohlen. Gestehen Sie gleich, oder muß ich
Ihnen erst sagen, wie Sie es getan haben?»

«Ich habe keine Ahnung, wovon Sie sprechen», sagte er
schroff und wurde bleich, als Phryne den Ball hervorholte.

«Den habe ich draußen gefunden. Auch ein Großteil der
Scherben befand sich dort. Sie haben den Schalter gedrückt
und den Ball durch das Fenster geschleudert, um einen thea-
tralischen Effekt zu erzielen. Dann haben Sie Madame St.
Clair die Kette von ihrem zugegebenermaßen überladenen
Hals gezogen.»

Der junge Mann lächelte. Er war groß, hatte lockiges,
kastanienbraunes Haar und dunkelbraune Augen. Er besaß
einen gewissen Charme, den er jetzt voll zum Einsatz
brachte, doch Phryne ließ sich davon nicht beeindrucken.
Bobby streckte die Arme von sich.

«Wenn ich sie geklaut hätte, dann müßte ich sie bei mir haben. Durchsuchen Sie mich doch», sagte er herausfordernd. «Ich hätte gar keine Zeit gehabt, sie zu verstecken.»

«Bemühen Sie sich nicht», sagte Phryne barsch. «Kommen Sie mit in den Ballsaal.» Die anderen folgten ihr widerspruchslos. Der Gärtnerjunge stellte eine Leiter auf. Phryne kletterte furchtlos hinauf (wobei sie, wie ihre Mutter ihr hinterher mitteilte, der Gesellschaft ihre diamantbesetzten Strumpfbänder enthüllte) und befreite etwas aus dem Kronleuchter. Ohne Zwischenfall erreichte sie wieder den Boden und übergab den Gegenstand Madame St. Clair, die so unvermittelt zu weinen aufhörte, als hätte ihr jemand den Hahn abgedreht.

«Gehört das Ihnen?» fragte Phryne, worauf Bobby ein leichtes Stöhnen von sich gab und sich in das Spielzimmer zurückzog.

«Donnerwetter, das war ein gewitztes Stück Detektivarbeit!» brachte der Oberst begeistert hervor, nachdem man dem in Unehre gefallenen Bobby erlaubt hatte zu gehen. «Sie sind eine gescheite junge Frau. Kompliment! Möchten Sie meine Frau und mich morgen besuchen? Meine Güte, Sie sind vielleicht genau die Frau, die wir suchen!»

Der Oberst war viel zu treu verheiratet und mit militärischen Ehren überhäuft, als daß er eine Gefahr für Phrynes Tugend darstellen konnte oder für das, was davon noch übrig war, und so sagte sie zu. Am nächsten Tag stellte sie sich in Mandalay, dem Landsitz des Obersten, zu ungefähr der Stunde vor, in der die Engländer für gewöhnlich ihren Tee trinken.

«Miss Fisher!» begrüßte sie die Frau des Obersten begeistert. «Treten Sie doch ein! Der Oberst hat mir berichtet, wie klug Sie diesen jungen Mann gestellt haben. Ich hatte ihm nie vertraut, er erinnerte mich zu sehr an jene jungen Subalternoffiziere im Punjab, die die Messefonds veruntreut haben.»

Phryne wurde hineingeführt. Sie wurde so unangemessen überschwenglich willkommen geheißen, daß sie sofort mißtrauisch wurde. Das letzte Mal, als man so außer sich vor Entzücken um sie herumscharwenzelt war, hatte eine Adelsfamilie darauf spekuliert, sie würde ihr ihren entsetzlichen Salonlöwen von einem Sohn abnehmen, und das nur, weil sie ein- oder zweimal mit ihm geschlafen hatte. Die Szene, in der sie sich geweigert hatte, ihn zu heiraten, hatte starke Ähnlichkeit mit einem frühviktorianischen Melodram gehabt. Phryne befürchtete, daß sie langsam zu einer Zynikerin wurde.

Sie nahm an einem Tisch aus Ebenholz Platz und ließ sich eine Tasse Tee einschenken. Das Zimmer war bis zum Überquellen vollgestopft mit indischen Messinggöttern, geschnitzten Intarsienkästchen und schweren Wandteppichen; sie riß den Blick mühsam von einer üppig ausgestatteten Figur los, die über toten Leibern tanzte und in jeder ihrer schwarzen Hände ein Bündel abgeschlagener Köpfe hielt, und bemühte sich, sich zu konzentrieren.

«Es handelt sich um unsere Tochter Lydia», sagte der Oberst ohne Umschweife. «Wir machen uns Sorgen um sie. Wissen Sie, sie ist in Paris in merkwürdige Kreise geraten und hat ein ausschweifendes Leben geführt. Aber sie ist ein gutes Mädchen, nicht auf den Kopf gefallen und so weiter, und als sie diesen Australier heiratete, hielten wir es so für das Beste. Sie schien glücklich zu sein, aber als sie uns letztes Jahr besuchen kam, war sie besorgniserregend bleich und dünn. Euch jungen Dingern gefällt das wohl heutzutage, was? Aber nur noch Haut und Knochen, das kann nicht gut sein ... äh-hm», stammelte der Oberst, als ihn ein Blick seiner Frau wie ein Stromstoß traf und er den Faden verlor. «Ähm, ja, jedenfalls war sie nach drei Wochen wieder völlig wohlauf, fuhr für eine Weile nach Paris und war munter wie ein Fisch im Wasser, als wir sie wieder nach Melbourne entließen. Doch sofort nach ihrer Ankunft wurde sie erneut krank. Und nun kommt das Interessante, Miss Fisher: Sie fuhr zur Genesung in irgendeinen Kurort und wurde gesund – doch sobald sie zu ihrem Mann zurückkehrte, wurde sie wieder krank. Und ich glaube –»

«Und da bin ich ganz seiner Meinung», fügte seine Frau unheilschwanger hinzu, «daß da – verzeihen Sie, meine Liebe – etwas verflucht Merkwürdiges vor sich geht, und wir benötigen eine verläßliche junge Frau, um das herauszufinden.»

«Glauben Sie, daß ihr Mann sie vergiftet?»

Der Oberst zögerte, doch seine Gattin sagte ruhig: «Nun, was würden Sie denken?»

Phryne mußte zugeben, daß das Immerwiederkehren der Krankheit sich seltsam anhörte, und zudem wußte sie nicht, was sie mit sich und ihrem Leben anfangen sollte. Sie wollte nicht im Hause ihres Vaters bleiben und Blumen arrangieren. Sie hatte es mit gemeinnütziger Arbeit versucht, doch hatte sie die Bordelle, die Elendsviertel und die Hungersnot in London satt, und die Gesellschaft der wohltätigen Damen bereitete ihr schlechte Laune. Sie hatte oft daran gedacht, zurück nach Australien zu reisen, wo sie in ärmlichsten Verhältnissen geboren war, und hier war eine hervorragende Entschuldigung, die Entscheidungen über ihre Zukunft für ein halbes Jahr hinauszuschieben.

«Nun gut, ich werde fahren. Aber auf eigene Kosten, und ich werde Bericht erstatten, wann ich es für richtig halte. Schicken Sie mir keine verzweifelten Telegramme hinterher, oder die ganze Sache wird abgeblasen. Ich werde auf eigene Faust mit Lydia Bekanntschaft schließen, Sie werden mich in keinem Ihrer Briefe an sie erwähnen. Ich werde im Windsor absteigen.» Davon war Phryne begeistert. Das letzte Mal hatte sie das Hotel im kalten Morgengrauen gesehen, als sie mit einer Ladung welkem Gemüse daran vorbeigegangen war, das sie aus den Schweinetrögen des Victoriamarktes zusammengesammelt hatte. «Wenn es etwas Wichtiges gibt, können Sie mich dort finden. Wie lauten Lydias Familienname und ihre Adresse? Und sagen Sie mir – wieviel würde ihr Mann erben, wenn sie stirbt?»

«Ihr Mann heißt Andrews, und hier ist die Adresse. Im Falle, daß sie ohne Nachkommen vor ihm stirbt, erbt er fünfzigtausend Pfund.»

«Hat sie Kinder?»

«Noch nicht», sagte der Oberst. Er holte ein Bündel Briefe hervor.

«Vielleicht möchten Sie die hier lesen», er legte die Briefe auf das Teetischchen. «Das sind Lydias Briefe. Wie Sie bemerken werden, ist sie ein kluges kleines Ding – sehr schlau in Gelddingen –, aber sie ist vernarrt in diesen Andrews», schnaubte er verächtlich. Phryne zog den ersten Brief aus dem Umschlag und begann zu lesen.

Die Briefe waren fesselnd. Nicht daß sie irgendeinen literarischen Wert besessen hätten, doch Lydia schien wirklich eine seltsame charakterliche Mischung zu sein. Nach einer

Abhandlung über Ölaktien, für die ein Buchhalter sich nicht hätte zu schämen brauchen, widmete sie sich mit derart sentimentalen und honigsüßen Worten ihrem Ehemann, daß Phryne das Weiterlesen schwerfiel. *Mein Kater war böse mit seiner Maus, weil sie gestern bei der Abendgesellschaft mit einer hübschen Katze getanzt hat*, las Phryne mit zunehmender Übelkeit. *Und ich mußte ihn zwei Stunden streicheln, bevor er wieder meine liebe, kleine Mietzekatze war.*

Phryne las weiter, während ihr die Frau des Obersten Tee nachschenkte. Nach einer Stunde war sie mit Tee und Gefühlsregungen abgefüllt. Nachdem Lydia nach Melbourne gekommen war, wurde der Tonfall weinerlich. *Johnny geht in seinen Club, und sein armes kleines Mäuschen verzehrt sich vor Gram in ihrem Mäusehaus ... Ich war so krank, aber Johnny sagte nur, ich hätte zuviel gegessen, und ist zum Abendessen gegangen. Es geht das Gerücht um, daß Peruanisches Gold ihre Minen wieder öffnen. Auf keinen Fall investieren! Ihr Buchhalter kauft sich schon das zweite Auto ... Ich hoffe, ihr habt meinen Rat bezüglich des Shallows-Grundstücks beherzigt. Das Land grenzt über einen öffentlichen Weg an eine Kirche, so daß man es nicht übersehen kann. In zwanzig Jahren wird es seinen Wert verdoppelt haben ... Ich habe etwas von meinem Vermögen an Lloyds überwiesen, da dort die Zinsen ein halbes Prozentpunkt höher liegen. Ich versuche es jetzt mit Bädern und Massagen bei Madame Breda in Russell Street. Ich bin sehr krank, aber Johnny lacht mich nur aus.*

Seltsam. Phryne schrieb sich die Adresse von Madame Breda in der Russell Street ab und verabschiedete sich, bevor man ihr noch mehr Tee anbieten konnte.

ZWEI

In einem alten Sonnen-Chaos, oder
In einer Inseleinsamkeit auf jenem Wasser,
Schutzlos und frei und unentrinnbar.

Sonntagmorgen,
Wallace Stevens

Phryne lehnte an der Schiffsreling, lauschte den Möwen, die ihr verkündeten, daß das Festland nicht mehr fern war, und hielt nach dem ersten Zeichen des Sonnenaufgangs Ausschau. Niemand befand sich an Deck. Es war fünf Uhr morgens.

Am Horizont befand sich ein schwacher Schimmer; Phryne wartete auf das grüne Leuchten, das sie noch nie gesehen hatte. Sie suchte in ihrer Tasche nach Zigaretten, ihrer Zigarettenspitze und einem Streichholz. Sie zündete den Glimmstengel an und ließ das Streichholz über die Reling fallen. Das kurze Aufflackern hatte sie geblendet; sie blinzelte und fuhr sich mit der Hand über ihren schwarzen Bubikopf.

«Ich würde gern herausfinden, wozu ich Lust hätte!» sagte Phryne zu sich selbst. «Bis jetzt war alles recht anregend, aber ich kann mein Leben nicht mit Tanzen und Spielen verschwenden. Vielleicht sollte ich versuchen, in der neuen Avro den Flugrennrekord zu brechen – oder zusammen mit Miss May Cunliffe Straßenrennen in dem neuen Lagonda fahren – oder Abessinisch lernen – oder mich dem Gin hingeben – oder der Pferdezucht –, ich weiß nicht, das alles erscheint mir fade.

Nun, ich werde versuchen, in Melbourne perfekt die Detektivin zu spielen – das sollte schon schwierig genug sein –, und vielleicht wird sich dann irgend etwas von selbst ergeben. Wenn nicht, kann ich immer noch die Skisaison mitmachen. Das könnte trotz allem amüsant werden.»

In diesem Augenblick blitzte es, ein einmaliges, kurzes grasgrünes Aufflackern, bevor der Sonnenaufgang den Himmel golden und rosa färbte. Phryne hauchte der Sonne einen Kuß entgegen und kehrte in ihre Kabine zurück.

Sie knabberte an einem Toast und betrachtete nachdenklich ihre Garderobe, die wie ein Picknick über jedem verfügbaren Platz ausgebreitet lag. Phryne schenkte sich eine Tasse chinesischen Tee ein und musterte mißbilligend ihre Kostüme.

Die Wettervorhersagen versprachen klaren Himmel und milde Temperaturen, und Phryne zog flüchtig ein Chanel-Kostüm aus beiger Seide und eine ziemlich gewagte Jacke mit passendem Rock, beides aus leuchtend roter Wolle, in Betracht, doch schließlich wählte sie ein bezauberndes dunkelblaues Matrosenkostüm mit weißer Biese und Pikeekragen. Die Taille befand sich unterhalb der Hüften, und es blieb ein gut zwölf Zentimeter langer Faltenrock nach, so daß selbst die in Modefragen engstirnigen Melbourner es nicht als Beleidigung empfinden konnten.

Sie zog sich schnell an und stand schon bald in Hemdhöschen und Seidenstrümpfen, die über dem Knie befestigt waren, und dunkelblauen Lederschuhen da. Während sie unbarmherzig ihr schwarzes glattes Haar bürstete, das raffiniert zu einem lackglänzenden Bubikopf frisiert war und den Nacken und einen Großteil der Stirn freiließ, besah sie in dem

Spiegel prüfend ihr Gesicht. Sie setzte einen weichen dunkelblauen Glockenhut auf und zog mit einer Geschicklichkeit,
die aus langer Übung hervorgegangen war, ihre Augenbrauen nach, umrandete ihre graugrünen Augen mit einem
dünnen Kajalstift und fügte einen Tupfer Rouge hinzu und
trug schwungvoll den Puder auf.

Sie goß sich gerade den letzten Tee ein, als ein Klopfen an
der Tür sie veranlaßte, sich schnell wieder ihr faltenreiches
Gewand überzuwerfen.

«Herein», rief sie, während sie überlegte, ob es sich um
einen weiteren Besuch des Ersten Offiziers handelte, der in
verzweifelter Leidenschaft zu Phryne entbrannt war, eine
Leidenschaft, die, davon war sie überzeugt, höchstens zehn
Minuten überdauern würde, nachdem die «Orient» angelegt hatte. Doch die Antwort beruhigte sie.

«Elizabeth», verkündete der Besucher, und Phryne öffnete die Tür, und Frau Dr. MacMillan trat ein und setzte
sich auf den besten Stuhl in der Einzelkabine, dem einzigen,
der nicht mit Phrynes Kleidern bedeckt war.

«Nun, mein Kind, wie der angegriffene junge Erste Offi-
zier mir berichtete, legen wir in drei Stunden an», sagte sie.
«Können Sie den Rest dieses Toastes entbehren? Diese bedauernswerte Frau aus dem Zwischendeck hat ihr Kind um
drei Uhr in der Früh bekommen – Babys scheinen das Verlangen zu haben, in den Nachtstunden geboren zu werden,
möglichst noch während eines Gewitters –, Babys haben etwas Ursprüngliches an sich, finde ich.»

Phryne reichte ihr das Tablett, auf dem sich ein Teller Eier
mit Schinken und Toast befand. Mehr als Phryne wahrscheinlich nach einem langen Tag ohne Nahrung hätte essen
können. Sie betrachtete Dr. MacMillan voller Zuneigung.

19

Dr. MacMillan war mindestens fünfundvierzig, und da sie wild entschlossen war, Dr. Garret Anderson nachzueifern und dafür zu kämpfen, Ärztin zu werden, blieb ihr keine Zeit für andere Dinge. Sie war so breit und stark wie ein Arbeiter und hatte ein ebensolches wettergegerbtes Gesicht und die gleichen rauhen, schwieligen Hände. Ihre Haare waren graumeliert und zu einer Kurzhaarfrisur geschnitten. Aus Bequemlichkeit trug sie Männerkleidung, in denen sie einen ziemlich derben Eindruck machte.

«Kommen Sie, Phryne, wir werden nach dem Hafen Ausschau halten», sagte Dr. MacMillan. Phryne schlüpfte in ihr Matrosenkostüm und begleitete sie beim Aufstieg zum Deck.

Phryne lehnte sich gegen die Reling, um zu sehen, wie Melbourne vor ihr auftauchte, während die «Orient» gleichmäßig durch das Wasser dampfte und ihren Kurs änderte, um in die Flußmündung und in den Hafen zu gelangen.

Die Stadt wurde sichtbar, und die Fahne über dem Parlamentsgebäude zeigte an, daß der Gouverneur in der Stadt war. Die Stadt kam Phryne viel größer vor, als sie sie in Erinnerung hatte, doch war sie zugegebenermaßen auch nicht in der Lage gewesen, sie deutlich zu sehen, als sie sich damals bei der Ausfahrt an der Reling festgeklammert hatte. Dr. MacMillan, die neben ihr stand, warf eine übelriechende Zigarre über Bord und bemerkte: «Scheint eine schöne große Stadt zu sein, solide gebaute Häuser und Kirchtürme.»

«Was haben Sie erwartet? Flechtwerk und Lehmhütten? Das sind keine Wilden, Elizabeth, wußten Sie das nicht? Sie werden sehen, es ist so ähnlich wie in Edinburgh. Wahrscheinlich ruhiger.»

«Na, das wäre eine schöne Abwechslung», sagte die Ärztin. «Sind Ihre Koffer gepackt, Phryne?»

Phryne lächelte und dachte an ihre drei Überseekoffer, zwei Koffer, Einkaufstasche und Handtasche in ihrer Kabine sowie an die sieben großen Schrankkoffer, die sich im Laderaum, zweifellos zwischen lauter Schafen, befanden. Zu den gefährlichen Gütern, die sie in ihr Heimatland einführte, gehörten eine kleine Damenhandfeuerwaffe und eine Kiste dazugehöriger Patronen sowie einige von Dr. Stopes Verhütungsmitteln, die in ihre Unterwäsche eingewickelt waren und unter einem offenen Paket mit gewissen Damenutensilien lagen, um übereifrige Zollbeamte abzuschrecken.

Sie lehnten sich gemeinsam in den Wind und sahen zu, wie die Stadt näher kam. Das Büchlein in ihrer Kabine hatte Phryne darüber aufgeklärt, daß Melbourne eine moderne Stadt war. Ein Großteil war an die Kanalisation angeschlossen, hatte fließend Wasser und in einigen Bereichen Elektrizität, und es gab ein öffentliches Verkehrsnetz mit Zügen und Straßenbahnen. Die Industrie war im Aufschwung, und es gab dreißigmal so viele Autos, Lastwagen und Krafträder wie Pferdewagen. Die meisten Straßen waren geschottert, und die Stadt war mit einer Universität, mehreren Krankenhäusern, einem Cricketstadion, dem Athenäum-Club und den königlichen Arkaden gut ausgestattet. Besuchern wurde empfohlen, zu den Flemington-Pferderennen oder zum Football zu gehen. Den Damen würde ein Bummel durch die Block-Arcade, der besten Einkaufspassage der Stadt, und ein Besuch bei Walter Burley Griffins interessantem Anbau zum Collins House gefallen. Das Menzies, das Scott's und das Windsor wurde für Erste-Klasse-Passagiere empfohlen. Phryne fragte sich, zu welcher Unterkunft man den Passagieren vom Zwischendeck riet. «Dem Elevator House wahrscheinlich», sagte sie zu sich selbst. «Auf die Heilsarmee ist immer Verlaß.»

«Bitte? Ja, großartige Menschen», stimmte Dr. MacMillan abwesend zu, und Phryne bemerkte, daß sie laut gedacht hatte.

Den Zoll zu passieren hatte einen geringeren Aufwand an Charme erfordert, als Phryne befürchtet hatte, und innerhalb einer Stunde befand sie sich mit ihrem Berg von Gepäckstücken auf der Straße und wartete auf ein Taxi. Dr. MacMillan, die mit einer Reisetasche voller Kleider und einer Teekiste voll mit Büchern nur wenig Gepäck hatte, machte heftig Zeichen, und ein Wagen machte einen Schlenker und kam abrupt vor ihnen zum Stehen.

Der Fahrer stieg aus, musterte den Stapel an sperrigem Gepäck und bemerkte lakonisch: «Sie brauchen noch 'n Taxi.» Er brüllte Cec, einem Kollegen auf der anderen Straßenseite zu, der sich dort bequem an einer Mauer herumlümmelte. Cec verschwand mit einem Tempo, das seine Erscheinung Lügen strafte, und kehrte am Steuer eines verbeulten Lieferwagens zurück, der ganz offensichtlich einmal einem Obsthändler gehört hatte. Cox Orange Äpfel stand immer noch auf den abgeblätterten Seitenplanken.

Das sind also die Einheimischen, dachte Phryne. Cec war groß und schlaksig, hatte blondes Haar und braune Augen und war jung, grimmig und wortkarg. Der andere Fahrer, der anscheinend Bert hieß, war klein, dunkel und etwas älter. Beide waren durchaus attraktiv.

«Aufladen», sagte Bert, und drei Träger gehorchten ihm. Phryne beobachtete mit Erstaunen, daß sich die Position der selbstgedrehten Zigarette auf der Unterlippe des Fahrers überhaupt nicht verändert hatte. Sie verteilte großzügig Trinkgelder und nahm ihren Platz im Wagen ein. Mit einem Ruck machten sie sich in die Stadt auf.

Es war ein schöner, warmer Herbsttag. Sie legte ihren Moirémantel ab und zündete sich eine Zigarette an, während sie mit rauchendem und knatterndem Motor die Kais hinter sich ließen und mit beängstigender Geschwindigkeit um ein paar Ecken herumkurvten.

Bert, der Fahrer, musterte Phryne mit demselben kühlen Interesse wie sie ihn. Dazu behielt er noch den Verkehr und den Lieferwagen mit Cec hinter sich im Auge. Phryne fragte sich, ob sie ihr kostspieliges Gepäck je wiedersehen würde.

«Wohin fahren wir zuerst?» schrie Bert. Über den Lärm des arbeitenden Motors hinweg schrie Phryne zurück: «Zuerst zum Queen Victoria Hospital und dann zum Hotel Windsor; und übrigens, wir sind gar nicht so in Eile.»

«Sie sind Krankenschwestern?» fragte Bert. Dr. MacMillan sah resigniert drein.

«Nein, das ist Dr. MacMillan aus Schottland, und ich bin nur auf Besuch.»

«Sie steigen im Windsor ab, Miss?» fragte Bert, und nahm seine hängende Zigarette aus dem Mund und warf sie aus dem klappernden Taxifenster. «Sind wohl so 'n feiner Pinkel, was? Die Zeit wird kommen, wo der arbeitende Mensch sich gegen seine Unterdrücker auflehnt und die Fesseln des Kapitals sprengt, und …»

«… dann wird es kein Windsor mehr geben», beendete Phryne den Satz. Bert sah verletzt aus. Er ließ das Steuer los und drehte sich um, um der jungen Kapitalistin Vorhaltungen zu machen.

«Nein, Miss, Sie verstehen nicht», setzte er an, und sie entgingen knapp dem Tod, indem er flink das Steuerrad herumriß, so daß sie um einen Laster schlingerten und in Sicherheit waren. «Wenn die Revolution kommt, werden wir alle im Windsor wohnen.»

«Das hört sich nach einer ausgezeichneten Idee an», stimmte Phryne zu.

«Davon habe ich im Krieg genug gesehen», schnaubte Dr. MacMillan. «Revolution bedeutet Mord und Blutvergießen. Und daß unschuldige Menschen ihr Heim verlieren.»

«Der Krieg», sagte der Fahrer salbungsvoll, «ist eine kapitalistische Verschwörung, um die Arbeiter zu zwingen, ihre Schlacht um der wirtschaftlichen Sicherheit willen zu kämpfen. Das ist der Krieg», schloß er.

«Folgt Cec uns noch?» fragte Phryne in der Hoffnung, den glühenden Kommunisten abzulenken.

«Ja, Cec ist uns auf den Fersen. Er ist ein guter Fahrer», sagte Bert. «Aber nicht so gut wie ich.»

Die Stadt flog an ihnen vorbei und verschwand hinter ihnen in einer Wolke aus Abgasen und Staub, und plötzlich hielten sie vor einem unauffälligen Eingang. Als die Luft wieder klar wurde, erkannte Phryne das Schild am Haupteingang, und sie wußte, daß sie sich nun von Elizabeth MacMillan würde trennen müssen. Sie spürte einen unerwarteten Stich, doch sie unterdrückte das Gefühl. Die Ärztin küßte Phryne auf die Wange, nahm ihre Reisetasche und ihren Mantel an sich, und Cec lud die Teekiste auf den Bürgersteig ab, ohne dabei das Leben zu vieler Passanten zu gefährden. Elizabeth winkte, und der Fahrer brachte den widerspenstigen Motor zum Laufen, raste in Richtung Collins Street, wobei er eine laut bimmelnde Straßenbahn nur um

Zentimeter verfehlte, beschrieb einen Kreis um den Posten des Verkehrspolizisten und ließ den Wagen den Hügel hochkeuchen. Sie fuhren am Gebäude der Theosophen, am Theater, an zwei Kirchen, einigen recht ansprechenden Modehäusern und Hunderten von Messingtürschildern vorbei, bis Phryne direkt vor ihnen ein großes, beeindruckendes Gebäude erblickte und kurz befürchtete, der Fahrer könnte probehalber versuchen, wie weit er es mit seinem kühnen Roß die herrschaftliche Eingangstreppe hinauf schaffen würde.

Ihre Angst war unbegründet. Der Fahrer machte diese Tour nicht zum ersten Mal. Bert wendete den Wagen in drei Zügen und hielt grinsend vor dem schmucklosen Portal des Hotels. Der Portier, der im Angesicht dieses ausgefallenen Fahrzeugs mit keiner Wimper zuckte, trat würdevoll vor und öffnete die Wagentür am einzigen noch vorhandenen Scharnier. Phryne faßte seine behandschuhte Hand, zog sich aus dem Wagen, klopfte sich ab und holte ihre Geldbörse hervor.

Der Fahrer stieg aus seinem Wagen und reichte Phryne mit liebenswürdigem Lächeln ihren Mantel. Er hatte eine neue Zigarette im Mund.

«Vielen Dank für die anregende Fahrt», sagte Phryne. «Wieviel schulde ich Ihnen und – äh – Cec?»

«Ich denke, fünf Shilling sollten genügen», sagte Bert grinsend und vermied es dabei, den Portier anzusehen. Phryne öffnete ihre Geldbörse.

«Zwei Shilling sechs sollten genügen, meinen Sie nicht auch?» sagte sie offen.

«Und einen extra für Cec», versuchte Bert zu handeln. Phryne gab ihm den zusätzlichen Shilling. Der schlaksige

Cec, der mehr Kraft besaß, als man es von seinem knochigen Körper erwartet hätte, übergab Phrynes Schrankkoffer und Kisten der Obhut einer kleinen Armee von Trägern, die alle die Hotellivree trugen. Dann, mit einem Schlachtruf und einer Staubwolke, verschwanden die Fahrer.

«Ich bin Phryne Fisher», teilte sie dem Portier mit.

«Sie werden erwartet. Sie sind heute morgen mit der ‹Orient› eingelaufen? Sie möchten gewiß eine Tasse Tee. Hier entlang bitte.» Phryne vertraute sich ihm an und trat in die stille, wohlgeordnete und luxuriöse Welt des Windsors ein.

Frisch gebadet, umgezogen und hungrig kam Phryne zum Mittagessen in den Speisesaal des Hotels herunter. In blasse, strohfarbene Baumwolle gehüllt und einem Strohhut, um den sie einen Seidenschal in Grün, Zitronengelb und Meeresblau geschlungen hatte, gab sie eine aufsehenerregende, elegante Erscheinung ab. Sie entschied sich für einen Tisch unter einer Gruppe marmorner Amorfiguren, wählte von der Karte, die ihr von einem adretten Mädchen in Schwarz überreicht wurde, eine Bouillon und einen Teller kalter Speisen aus, und betrachtete eingehend die übrigen Gäste.

Die Damen waren gut gekleidet, einige von ihnen waren durchaus schön, wenn zugegebenermaßen auch ein bißchen altmodisch gekleidet. Die Herren, vielleicht Rechtsanwälte oder Bankdirektoren, trugen den üblichen Nadelstreifen und hie und da einen dunklen Anzug. Ein paar strahlende junge Dinger in Flanellhosen und Sportblazern oder in Fugi-Kleidern mit schwingenden Borten und dickem Make-up sorgten für ein wenig Schwung. Eine Schauspielerin hatte Theaterschminke aufgelegt und trug einen goldenen Strandanzug und einen Turban. Ihre Finger trieften geradezu vor Juwelen, und zu ihren Füßen saß, an einer stabilen Kette, ein Leopardenjunges. Mit allen wurde das Windsor spielend fertig.

Die Bouillon war hervorragend; Phryne verdrückte sie sowie die kalte Platte und trank drei Tassen Tee und kehrte zum Ausruhen in ihre Suite zurück. Sie schlief ein und erwachte erst, als der Gong für das Abendessen ertönte.

Während sie geschlafen hatte, waren ihre Kleider ausgepackt, gebügelt und in dem schweren Holzkleiderschrank aufgehängt worden. Die Zimmereinrichtung zeugte von exquisitem, jedoch zurückhaltendem Geschmack, auch wenn Phryne sich weniger Nymphenskulpturen und das Rosa der Lampenschirme weniger knallig gewünscht hätte. Phryne hegte einen Groll gegen Nymphen. Der Name, den ihr Vater für sie ausgesucht hatte, war Psyche. Bedauerlicherweise war er bei ihrer Taufe, nach einer langen Nacht im Club am Abend zuvor, nicht mehr ganz bei sich gewesen. Als er nach ihrem Namen gefragt wurde, hatte er die Fetzen seiner klassischen Bildung durchstöbert und Phryne herausgegriffen. Anstatt der Nymphe Psyche war sie nun Phryne, die Hetäre.

Doch einige Nachforschungen hatten sie besänftigt. Die Hetäre war zweifellos eine beherzte junge Frau gewesen. Als es vor Gericht schlecht um den Fall ihrer Namensgeberin stand, hatte ihr Rechtsbeistand ihr vorne das Kleid aufgerissen und ihre schönen Brüste dem Gericht enthüllt. Die Richter waren von solcher Vollkommenheit derart beeindruckt, daß sie sie freisprachen. Und es war auch Phryne gewesen, die, nachdem sie auf ihre unehrenhafte Weise einen ganzen Berg Gold angehäuft hatte, den Thebanern anbot, ihre Mauern wiederaufzubauen, wenn diese die Inschrift: Die Mauern von Theben: Zerstört vom Zahn der Zeit, wiederaufgebaut durch Phryne, die Hetäre, trügen. Doch die vernünftigen Bürger von Theben hatten ihre Ruinen bevorzugt.

Das war ihnen recht geschehen, dachte Phryne Fisher, während sie sich ein seidenes Unterkleid und ein pfauenblaues langes Abendkleid von Patou anzog. Ich hoffe, die Römer sind bei ihnen eingefallen. Soll ich lieber die Saphire oder die Emailleohrringe tragen?

Sie betrachtete eingehend die langen, funkelnden Ohrringe, in denen ein blaues Feuer spielte. Sie wusch ihr Gesicht und trug rasch etwas Farbe auf, bürstete sich kräftig die Haare und wand sich ein Haarband durch die glänzenden Strähnen. Dann nahm sie einen meergrünen Umhang und ihre Handtasche und ging zum Abendessen hinunter.

Nach einem Cocktail und einer vorzüglichen Hummermayonnaise fühlte sie sich wieder ganz hergestellt. Phryne liebte Hummermayonnaise mit Gurken.

Es war ein schöner Abend, und niemand um sie herum erschien ihr nur das kleinste bißchen interessant, mit Ausnahme eines humorvollen Herrn, der sich in großer Gesellschaft befand und ihr, in offensichtlicher Bewunderung für ihr Kleid, überaus liebenswürdig zugelächelt hatte. Da er aber sichtbar mit Beschlag belegt war, mußte Phryne sich etwas überlegen. Es war Samstag, und nachdem sie sich vergewissert hatte, daß die Block Arcade noch geöffnet hatte, kehrte sie auf ihr Zimmer zurück, um ihr Kleid gegen eine Hose, einen seidenen Pullover, festes Schuhwerk und einen weichen Filzhut einzutauschen. In dieser Aufmachung sah sie geschlechtslos genug aus, um der Aufmerksamkeit der müßigen jungen Männer in der Stadt zu entgehen, doch konnte sie, wenn ihr danach war, ihre weiblichen Reize zum Einsatz bringen.

Da sie spazierengehen und nachdenken wollte, zog sie rasch die unauffälligen Kleider an und trat in die warme Abenddämmerung hinaus. Straßenbahnen brausten ratternd vorbei; die Stadt roch nach herabfallenden Blättern, Rauch und Staub. Wie der Portier es ihr beschrieben hatte, ging sie die Collins Street hinunter. Für den Fall, daß es kühl wurde, hatte sie eine Matrosenjacke mit Kellerfalten und Taschen angezogen, und da sie nicht von einer Tasche behindert wurde, hatte sie die Hände frei. Ein Wald von Messingtürschildern zierte die schlichten Gebäude der Collins Street; das erinnerte sie an die Harley Street und an London, obwohl die Menschen hier lauter waren und reinlicher, und es gab weniger Bettler. Phryne spürte, wie die Blätter unter ihren Schuhen knirschten.

Sie ging an der Presbyterianischen Kirche und dem dazugehörigen Pfarrhaus vorbei, an der Baptistenkirche und blieb am anderen Ende der Straße stehen und starrte auf das Regent Theater, einen wuchtigen Kasten, dessen Fassade bis über die Grenze des Erträglichen mit Beton verkleidet war. Es war so unverhohlen vulgär, daß es Phryne schon wieder gefiel.

Eine Gruppe von jungen Fabrikarbeiterinnen, alle in Kunstseidenstrümpfen und Federn, mit leuchtenden Blusen in Blau, Rot oder Grün und zugekleistert mit einer dicken Schicht von Mr. Coles Kosmetikartikeln, drängten sich in der unansehnlichen Straße an Phryne vorbei und kreischten dabei wie die Spatzen. Phryne setzte ihren gleichmäßigen Schritt fort und ging durch die Menge unter dem Dachgesims des Rathauses hindurch und überquerte die Swanston Street.

DREI

Sie sagte: «Ich bin traurig, traurig,
O Gott, wär ich doch tot!»

Mariana,
Tennyson

Cec zeigte mit dem Daumen auf ein Mädchen, das mitten in der Lonsdale Street schlaff in den Armen eines großen Mannes hing.

«Besoffen», bemerkte Bert, während er anhielt. «Und es ist erst elf am Vormittag. Brutal, was?»

«Na, Kumpel!» schrie er dem Mann zu, der ihn herbeiwinkte. «Wohin soll's gehen?»

«Richmond», antwortete der Mann, während er das Mädchen vor sich herschob und sie grob neben Cec in das Taxi bugsierte. «Sie wird Ihnen die Adresse sagen. Hier ist das Geld.» Er warf Bert eine Zehn-Shilling-Note vor die Nase und schlug die Tür zu. «Behalten Sie den Rest», rief er ihm über die Schulter hinweg zu, eilte davon und fing, als er um die Ecke in die Queen Street einbog, beinahe zu rennen an.

«Der war verdammt in Eile», bemerkte Bert. «Tschuldigung, Miss. Wie ist die Adresse?»

Das Mädchen zwinkerte und rieb sich die Augen, während sie sich über die aufgesprungenen Lippen leckte.

«Jetzt kann ich nach Hause gehen», wisperte sie. «Ich kann nach Hause.»

«Ja, und bezahlt ist auch schon. Wo wohnen Sie?» fragte Bert mit lauter Stimme in der Absicht, durch den Alkoholdunst zu dringen. «Kommen Sie, Miss, wissen Sie es nicht mehr?»

Das Mädchen antwortete nicht, sondern sank wie eine Gummipuppe seitlich in sich zusammen, bis sie an Cecs Schulter lehnte. Er richtete sie sanft auf und sagte zu Bert: «Da stimmt was nicht. Ich rieche keinen Alkohol. Sie ist krank. Ihre Haut glüht wie Feuer.»

«Was denkst du darüber?» fragte Bert, als er in die Market Street einbog und anhielt, um einen Rollwagen mit Gemüse vorbeiwanken zu lassen.

«'ne miese Tour», sagte Cec langsam. «Sie blutet.»

«Dann los ins Krankenhaus», sagte Bert und verfehlte einen Gemüselastwagen nur um Zentimeter. Der überreizte Fahrer warf einen Kohlkopf nach dem Taxi und verfehlte es.

«Das Krankenhaus für Frauen», sagte Cec mit schwerfälligem Nachdruck. «Das Queen Victoria Hospital.» Das Mädchen bewegte sich in Cecs Armen und sagte krächzend: «Wo bringen Sie mich hin?»

«Ins Krankenhaus», sagte Cec ruhig. «Sie sind krank.»

«Nein!» Sie kämpfte schwach und schlug nach dem Türgriff aus. «Dann werden es alle erfahren.» Bert und Cec tauschten vielsagende Blicke. Im Schoß des blauen, billig glänzenden Kleides, das sie zu ihrer Abtreibung getragen hatte, befand sich eine Lache aus Blut und übelriechendem Eiter. Cec nahm fest ihre Hand und drückte sie in den Sitz zurück. Sie keuchte mühevoll, und ihre Finger schienen sich in sein Handgelenk zu brennen. Cec sah, daß sie noch fast ein Kind war, wahrscheinlich nicht älter als siebzehn. Abgezehrt und fiebrig, wie sie war, hatten sich ihre federartigen

31

Haare aus den Klammern gelöst und klebten ihr an Nacken und Stirn. Ihre Augen leuchteten vor Schmerzen und Fieber wie Diamanten.

«Niemand wird es erfahren», beruhigte sie Bert. «Ich kenne eine der Ärztinnen dort – erinnerst du dich an die alte schottische Wachtel mit den vielen Büchern, Cec, die mit dem feinen Pinkel gekommen ist? Sie wird niemandem etwas sagen. Sie lehnen sich jetzt einfach zurück und entspannen sich, Miss. Wie heißen Sie?»

«Alice», murmelte das Mädchen. «Alice Greenham.»

«Ich bin Bert, und das ist Cec», sagte Bert, während er die Exhibition Street entlangschlingerte, das Taxi in die Collins Street hineinbugsierte und den versagenden Motor kreischend den Rest des Anstiegs zum Mint Place emporjagte.

Sie hielten vor dem Krankenhaus an, und Cec trug Alice ohne ersichtliche Mühe die Stufen zum Vordereingang hinauf. Bert hämmerte mit zusammengeballter Faust gegen die Tür und klingelte Sturm. Als die Tür geöffnet wurde, trat Cec ein, während Bert sich an die Schwester, die ihnen aufgemacht hatte, wandte und sie anfuhr: «Wir haben einen Notfall. Wo ist die schottische Ärztin?» Krankenschwestern lassen sich von Natur aus nicht einschüchtern. Die Frau starrte ihn an und schwieg.

Schließlich begriff Bert, worauf sie wartete.

«Bitte», bellte er.

«Dr. MacMillan operiert gerade», verkündete sie. Bert schnappte nach Luft, und Cec übernahm das Reden, während er das Mädchen in seinen Armen der Schwester übergab.

«Sie ist in unserem Taxi ohnmächtig geworden», erklärte er. «Wir brauchen Ihre Hilfe», fügte er hinzu, für den Fall, daß er sich nicht klar ausgedrückt haben sollte. Cec redete nicht viel, denn im allgemeinen fand er, daß seine Worte niemals das vermittelten, was er sagen wollte.

Alice Greenham stöhnte.

«Bringen Sie sie herein», gab die Schwester nach, und sie folgten ihr in einen kahlen, weiß gestrichenen Behandlungsraum. Cec legte sie auf eine Krankenliege.

«Ich werde die Ärztin holen», sagte die Schwester und verschwand. Bert war bekannt, daß Krankenschwestern niemals rannten, doch diese hier ging sehr schnell. Bert und Cec sahen sich an. Cec war mit Blut beschmiert.

«Wir können wohl schlecht einfach weggehen und sie hier liegenlassen», sagte Bert zögerlich. «Mann-o-mann Cec, sieh dich nur an!» Cec wischte vergeblich über die Blutspuren. Er setzt sich neben Alice und hielt ihre Hand.

«Sie ist doch noch ein Kind.»

«Aber eins mit ziemlich erwachsenen Problemen.»

Bert mochte keine Krankenhäuser und war kurz davor, vorzuschlagen, daß sie ihre Pflicht getan hatten und nun gehen könnten, als Dr. MacMillan hereineilte.

«Sieh mal an, was haben wir denn hier? Ist sie ohnmächtig?» fragte sie gebieterisch. «Kennen Sie sie?»

Cec schüttelte den Kopf. Bert legte los: «Ein Kerl setzte sie in der Lonsdale Street in unser Taxi. Gab mir zehn Shilling, damit wir sie nach Richmond bringen. Dann ist sie umgekippt, und Cec bemerkte ... das Blut, und da brachten wir sie hierher. Sie hat nicht viel gesagt, aber sie heißt Alice Greenham.» Überraschenderweise lächelte Dr. MacMillan.

«Die Schwester wird Ihnen eine Tasse Tee geben», verkündete sie, «und Sie werden warten, bis ich zu Ihnen

33

komme. Wir müssen uns über den Mann aus der Lonsdale Street unterhalten. Schwester! Geben Sie den beiden Herren im Besucherraum bitte Tee und schicken Sie unverzüglich Schwester Simmonds zu mir.»

Phryne erreichte die Block Arcade, die hinter dem Athenäum-Club, einem nüchternen und finsteren Gebäude mit pseudorömischer Fassade, in einem weichen verlockenden Licht hervorstrahlte. Im Gegensatz dazu gelangte man in die Einkaufspassage durch bezaubernde Portale, die von einem zarten gußeisernen Filigranmuster umrahmt wurden, und der Fußboden war, soviel man zwischen den schlurfenden Füßen der Tausenden von Müßiggängern erkennen konnte, mit eleganten schwarzweißen Fliesen ausgelegt. Phryne ließ sich von der Menge treiben und beobachtete mit unvoreingenommenem Amusement die Balzrituale der Einheimischen; die jungen Frauen trugen knalliges Rosa und Pfauenblau, quollen vor Diamanten von Cole's nur so über, waren stark geschminkt und hatten sich großzügig mit Otto of Roses parfümiert. Die jungen Männer trugen bevorzugt weiche Hemden, weite Mäntel, grelle Krawatten und rochen nach Californian-Poppy-Haarpomade. Unter dem scharfen Geruch brennender Blätter, der aus irgendeinem Park herüberzog, den Autoabgasen und dem seltsam salzigen, stechenden Ozongestank, der von den Straßenbahnen kam, drohte die Passage zu ersticken.

Die Geschäfte jedoch faszinierten sie, und Phryne kaufte ein Paar schöne Damhirschhandschuhe und für ihre schwarzen Haare eine Barrettmütze, die die Form eines geflügelten Insekts hatte und auf der falsche Diamanten funkelten.

Sie veranlaßte, daß ihre Einkäufe eingepackt und ins

Windsor geliefert wurden, und beschloß, daß es Zeit für eine Tasse Tee sei. Sie entdeckte ihr Ebenbild in der schwarzen spiegelglatten Säule vor dem Handschuhgeschäft und blieb stehen, um ihre Frisur zu ordnen. Im Spiegelbild sah sie das entschlossene weiße Gesicht einer Frau, die ohne zu merken, daß Phryne sie beobachtete, hinter ihr stand und sich langsam auf die Unterlippe biß. Die Angst in diesem Gesicht ließ Phryne aufschrecken, und sie schnellte herum. Die Frau lehnte an der gegenüberliegenden Säule. Sie trug ein dünnes tiefschwarzes, aber verschlissenes Hemdkleid, und ihre Beine waren nackt. Sie hatte weder einen Mantel, einen Hut oder Handschuhe, und an den Füßen trug sie abgewetzte Hausschuhe. Ihr langes hellbraunes Haar hatte sie zu einem unkleidsamen Knoten zurückgebunden, der sich allmählich aus den Haarnadeln löste. Ihre blauen Augen starrten aus einem Gesicht hervor, das wahrscheinlich einen frischen Teint gehabt hätte, wenn es nicht durch irgendeine Krankheit oder seelische Anspannung eine bläuliche Färbung angenommen hätte. Aus einer Eingebung heraus durchquerte Phryne die Passage und trat auf das Mädchen zu, wobei sie überlegte, was es wohl war, das sie in ihren Händen versteckt hielt und eng an ihren Körper preßte. Als sie näherkam, erkannte sie es – es war ein Messer.

«Guten Tag, ich wollte gerade etwas Tee zu mir nehmen», sagte sie ungezwungen, als hätte sie gerade eine alte Bekannte getroffen. «Hätten Sie Lust, mir Gesellschaft zu leisten? Gleich da drüben», fuhr sie redselig fort und nahm das widerstandslose Mädchen beim Arm. «Setzen Sie sich, und dann bestellen wir. Miss! Zweimal Tee bitte. Sandwiches?» erkundigte sie sich, und das Mädchen nickte.

«Und Sandwiches», fügte sie hinzu. «Ich denke, Sie sollten mir besser das Messer geben, meinen Sie nicht auch?»

Das Mädchen überreichte ihr immer noch stumm das Messer, und Phryne steckte es in ihre Jackentasche. Es handelte sich um ein gewöhnliches Küchenmesser, und es war rasiermesserscharf. Phryne hoffte, daß es nicht das Taschenfutter ihrer neuen Jacke aufschlitzen würde.

Der Tee wurde gebracht. Die maurischen Bögen, die mit künstlichen Blumen und Lampions geschmückt waren, und das gedämpfte Licht hatten etwas Beruhigendes. Phryne goß Tee ein, verteilte Sandwiches und beobachtete, wie ihre Begleiterin mit jedem Bissen lebendiger wurde.

«Danke, Miss», sagte das Mädchen. «Ich war ganz ausgehungert.»

«Ist schon in Ordnung», sagte Phryne nachsichtig. «Noch mehr?»

Das Mädchen nickte wieder, und Phryne bestellte noch etwas zu essen. Irgendwo störte eine Jazzkapelle geräuschvoll den Abend, befand sich jedoch zu weit entfernt, um die Unterhaltung verhindern zu können. Die junge Frau aß die Sandwiches auf, lehnte sich zurück und seufzte. Phryne bot ihr eine Zigarette an, die sie ziemlich entrüstet zurückwies.

«Anständige Mädchen rauchen nicht», sagte sie schneidend. «Ich meine ...»

«Ich weiß, was du meinst», sagte Phryne lächelnd. «Nun, was ist mit dir los? Was tust du hier?»

«Ich warte auf ihn», sagte das Mädchen. «Um ihn zu töten. Sehen Sie, ich bin aus Collingwood, und ich hatte bei einem Arzt eine Stellung als Hausmädchen. Die Frau des Doktors war sehr gut zu mir.»

Phryne hatte das Gefühl, diese Geschichte schon einmal gehört zu haben.

«Aber ihr Sohn hat mir immer wieder nachgestellt und mich begrapscht, und er wollte mich einfach nicht in Ruhe lassen. Heute abend hat es mir dann gereicht, und ich habe ihm gesagt, was ich von ihm halte und daß ich alles seiner Mutter sagen werde, wenn er mich nicht in Frieden läßt. Aber als seine Mutter ihr Nachmittagsnickerchen hielt, kam er wieder und warf mich zu Boden. Ich hab ihm eins übergezogen, und da hat er mir so eine geknallt, daß mir Hören und Sehen verging, aber ich hab ihm mein Knie reingedrückt, und da hat er losgelassen, und ich bin weggelaufen. Dann hat die gnädige Frau mich nach dem Abendessen zu sich gerufen und mir gesagt, daß ich ihrem Sohn schamlos nachgestellt hätte und daß ich entlassen wäre. Eine billige, kleine Dirne hat sie mich geschimpft. Und sie gab mir kein Zeugnis und auch nicht meinen Restlohn. Und er saß da wie der artige Junge und hat sich eins gefeixt. Also habe ich meine Sachen zum Bahnhof gebracht, und ich habe das Schälmesser aus der Küche gestohlen, um ihn damit umzubringen. Weil ich nicht nach Hause gehen kann. Meine Mama muß sieben Mäuler stopfen, und sie ist auf meinen Lohn angewiesen, verstehen Sie. Ich werde nie wieder eine Stellung bekommen. Er hat eine Hure aus mir gemacht, ja, das hat er. Er hat es verdient zu sterben.»

«Das hat er», stimmte Phryne zu. Ihre Begleiterin war ein wenig überrascht.

«Aber es gibt bessere Methoden als das. Hast du heute abend hier auf ihn gewartet?»

«Ja, er ist ein Geck – einer von diesen Dandys, die hier ständig auf und ab stolzieren.

«Hast du ihn schon gesehen?» fragte Phryne.

«Das da ist er», sagte das Mädchen. Ein junger Stutzer, eitel bis in die Haarspitzen, schlenderte vorbei.

«Wie heißt du? Ich bin Phryne Fisher aus London.»

«Dorothy Bryant. Oh, sehen Sie ihn nur an! Ich wollte, ich würde ihn in meine Hände kriegen.»

«Hör mal, ich brauche ein Dienstmädchen, und werde dich einstellen. Ich wohne im Windsor und bin ziemlich angesehen», fügte sie hinzu. «Wenn ich dich an diesem jungen Windhund räche, würdest du dann über meine Tätigkeit schweigen wie ein Grab?»

«Wenn Sie das tun könnten, gehöre ich ganz Ihnen», gelobte Dorothy. Phryne lächelte.

«Sieh zu und rühr dich nicht vom Fleck», sagte sie und schlüpfte in die Menge. Der junge Mann war in Begleitung mehrerer Kumpane, die genauso teuer gekleidet und genauso unerträglich müßig waren. Während Phryne sich an den jungen Mann heranpirschte, lauschte sie ihrer Unterhaltung.

«Dann nahm ich sie auf dem Fußboden des Pfarrhauses, und sie wird es nicht wagen, sich zu beklagen – nicht die Pfarrerstochter», prahlte der junge Mann, und seine Begleiter brachen in schallendes Gelächter aus. Phryne drängte sich geschickt an den Jungen, und mit einem flinken, geübten Schnitt durchtrennte sie seinen weiten Mantel und seine Hosenträger und schlitzte dann seine Unterbekleidung auf, so daß er unterhalb der Taille völlig entblößt war. Als er bemerkte, was geschehen war, stand er auch schon obenherum perfekt gekleidet in Mantel, Hemd und Hut, doch unten herum, bis auf seine Sockenhalter, ziemlich nackt da.

Alles war ganz schnell gegangen, aber die Menschenmenge in der Passage fand auf der Stelle Begeisterung daran. Der junge Mann sah sich sofort von der ausgelasseneren Hälfte der feinen Melbourner Gesellschaft umringt, und alle johlten vor Vergnügen. Als er einen Schritt vorwärts machte, stolperte und zu Boden ging, triumphierte die Menge genauso schadenfroh wie seine Begleiter. Und als ein dicker Polizist ihm auf die Füße half, ihn züchtig mit seinem Helm bedeckte und ihn mit zur Wache schleppte, um ihn wegen Erregung öffentlichen Ärgernisses und einem Benehmen, das möglicherweise als Landfriedensbruch gelten konnte, zu belangen, hallte es im Deckengewölbe von zotigen Bemerkungen und spitzen Schreien wider.

Phryne ging unbemerkt wieder zu ihrem Platz zurück und bestellte mehr Tee, und Dorothy legte ihr eine kleine warme Hand auf den Arm. Die Augen des Mädchens glänzten vor Tränen.

«Ich gehöre ganz Ihnen», bekräftigte Dorothy.

«Schön. Wir holen dein Gepäck morgen ab, und in meiner Suite im Windsor gibt es ein angrenzendes Dienstmädchenzimmer; dort wirst du dich wohl fühlen. Und du solltest dich wirklich nicht an die Straße stellen, Dorothy, das ist kein Vergnügen, glaub mir.»

Benommen folgte Dorothy Phryne aus der Arkade und zurück den Hügel hinauf zum Hotel.

Sobald sie sich ganz sicher war, daß Bert und Cec gegangen waren, nahm Dr. MacMillan eine große Schere und schnitt das blaue Seidenkleid auf, band es mit der Unterwäsche zu einem Bündel zusammen und schleuderte es in eine Ecke. Eine kurze Untersuchung versicherte ihr, daß ihre Patientin eine Abtreibung hinter sich hatte, die von einem Amateur

mit sehr unsicheren Kenntnissen der Anatomie durchgeführt worden sein mußte.

Schwester Simmonds, deren Absicht es war, sich dem Studium der Medizin zu widmen, sobald sie die Gebühren bezahlen konnte, traf ein, und Dr. MacMillan erläuterte ihre
Diagnose.

«Entfernen Sie den Eiter, Schwester – sehen Sie? Irgendein Fremdkörper wurde in die Gebärmutter eingeführt –
eine Stricknadel oder eine Spritze mit Seifenwasser, vielleicht auch ein glattes Stück Ulmenrinde. Diese Schlächter!
Denken Sie daran, Schwester, eine Abtreibung, die unter
Äther und steril durchgeführt wird, ist ungefährlich – und in
der Regel ist es besser, eine unzureichende Gebärmutter vor
dem dritten Monat ihres Inhalts zu entledigen als eine Bei-
nahe-Fehlgeburt weiterzupeppeln, die dann als Mißgeburt
oder als schwächliches Baby zur Welt kommt und schon als
Neugeborenes stirbt. Aber das hier ist Schlächterei. Schauen
Sie, der Gebärmutterhals ist stark erweitert, so daß sämtliche Bakterien aus der Vagina eingedrungen sind und Kolonien gebildet haben.»

«Wie lange ist es jetzt her?» fragte Schwester Simmonds,
während sie ein weiteres karbolgetränktes Tuch nahm.

«Zwei Tage, vielleicht drei. Das sind Verbrecher! Sie ver-
üben ein Greuel an der Natur und leiten bei den Mädchen
eine Fehlgeburt ein – dieses hier war vielleicht im vierten
Monat –, und dann schicken sie sie für gewöhnlich nach
Hause, und sie müssen selbst mit den Folgen fertig werden.
Eine Blutvergiftung ist das wenigste, womit sie rechnen
müssen. Nun, welche Diagnose würden Sie hier stellen?»

Schwester Simmonds nahm Alices Handgelenk und fühlte
ihren Puls. Er pochte so schnell, daß sie die einzelnen

Schläge gar nicht ausmachen konnte. Sie hatte 40 Grad Fieber. Sie hatte abwechselnd Schweißausbrüche und Schüttelfrost und war vom Fieber ganz heiß und ausgetrocknet. Ihr Bauch, die Brüste und die Oberschenkel waren mit einem scharlachartigen Ausschlag bedeckt.

«Saprämie», verkündete sie. Dr. MacMillan nickte.

«Behandlung?»

«Salycyclamid und eine Tetanusspritze.»

«Gut. Sorgen Sie dafür, daß ein Bett auf der klinischen Station und der Operationssaal vorbereitet werden. Wenn ich den Infektionsherd entfernen kann, wird sie größere Chancen haben. Legen Sie alles für Eiswassertupfer und eine Paraldehydinjektion bereit.»

«Armes kleines Ding», fügte Dr. MacMillan hinzu und strich über Alices Wange. «Bist doch selbst noch ein Kind.»

Bert schlürfte mißtrauisch seinen Tee. Er war heiß und süß, und er trank ihn schnell, so daß er sich die Zunge daran verbrannte. Ihm gefiel das alles nicht. Er vermutete, daß Alice ihnen viel Ärger bereiten würde, und wünschte sich inständig, der große Mann in der Lonsdale Street hätte sich ein anderes Taxi ausgesucht, um die arme Kleine loszuwerden. Cec, der seinen Tee nicht angerührt hatte, starrte gegen die Wand.

«Komm, trink deinen Tee», forderte Bert ihn auf, doch Cec sagte wieder nur: «Sie ist doch noch ein Kind.» Bert seufzte. Er kannte Cec schon seit vielen Jahren und wußte nur zu gut, daß er ein weiches Herz hat. Das Logierhaus in Carlton, in dem sie zur Zeit wohnten, beherbergte außer ihnen noch drei Katzen und zwei Hunde, die sein Freund in erbärmlichem Zustand aufgefunden und wieder zu aggressiven, kratzenden und beißenden Gesellen gesundgefüttert hatte. Wirklich, dachte Bert, ich habe ihn schon die ganze Nacht wach bleiben und ein beinahe ertrunkenes Kätzchen füttern sehen. Völlig verrückt nach allem Schwachen und Bedürftigen, so ist Cec. Ich weiß wirklich nicht, was Mrs. Brownig dazu sagen wird, wenn er eine Streunerin mit nach Hause bringt. Das letzte Hündchen hatte sie quasi als Dauergast aufgenommen. Der Gedanke daran ließ ihn lächeln, und er klopfte Cec leicht auf die Schulter.

«Kopf hoch, Cec. Sie wird's schon schaffen», sagte er ermutigend, und Cec hob seine Teetasse.

Er hatte sie kaum zum Mund geführt, als Dr. MacMillan das Zimmer betrat, und sie beide erhoben sich. Sie bedeutete ihnen, sich wieder auf die harten Krankenhausstühle zu setzen, und ließ sich schwer in den einzigen Sessel fallen. Cec schenkte ihr Tee ein.

«Wie geht es ihr?» fragte er besorgt. Dr. MacMillan warf ihm einen raschen Blick zu und bemerkte, daß seine Augen voller Sorge waren und nichts von der unweigerlichen Angst ausdrückten, wie es bei dem Mann der Fall gewesen wäre, der für Alices Zustand und die Operation verantwortlich war. Sie seufzte.

«Nicht gut. Sie hat zu lange gewartet. Sie hat eine Blutvergiftung, und ich kann nicht sagen, ob wir sie retten können. Ihr Leben hängt an einem seidenen Faden. Alles wird davon abhängen, wie stark ihr Wille zu leben ist.»

«Können Sie überhaupt nichts tun?» wollte Bert wissen.

«Nein. Selbst die moderne Medizin kann da nur sehr wenig machen. Sie muß jetzt selbst kämpfen, und vielleicht wird sie verlieren. Doch nun erzählen Sie mir alles über den großen Mann in der Lonsdale Street.»

«Ungefähr eins achtzig groß, ein hochmütiger Bursche mit dunklem Anzug und dunklem Hut, sah aus wie ein Gentleman. Trotzdem wirkte er besorgt. Am linken kleinen Finger trug er einen goldenen Siegelring mit einem Diamanten, so groß wie eine Hutnadel.»

«War er ein Zuhälter?»

«Nee, und sie ist keine Hure», warf Bert ein. «Ich muß es wissen, ich habe genügend herumkutschiert.»

«Nein, sie ist keine von denen», stimmte Cec zu. «Sie hat einen Fehltritt begangen, das ist alles. Irgendein Kerl hat sich nicht anständig verhalten. Erst hat er ihr einen dicken Bauch gemacht, und dann hat er sie sitzenlassen. Und sie muß aus einer anständigen Familie kommen, denn sie sagte, sie könnte nicht mehr nach Hause gehen. Erinnerst du dich? Wenn sie kein ordentliches Zuhause hätte, würde sie so etwas nicht sagen, sie wußten also nichts davon.»

«Stimmt, sie war ganz außer sich», sagte Bert. Wir haben ihr gesagt, Sie würden es ihnen nicht sagen.»

«Das werde ich auch nicht», bekräftigte Dr. MacMillan. «Ich werde ihnen sagen, daß sie hier ist, aber nicht weswegen sie gekommen ist. Eine Blutvergiftung kann man von jedem Riß in der Haut bekommen. Ein Rosendorn würde schon reichen. Was können Sie noch über den Mann sagen, der sie zu Ihnen gebracht hat?»

«Nicht viel mehr. Schwarze Haare, glaube ich, und er hat dreingeschaut wie ein feiner Pinkel. Ne, Cec?»

Cec, den seine ungewohnte Redegewandtheit übermannt hatte, nickte. «Ja, und mir ist, als hätten wir ihn schon mal gesehen.»

«Wo?»

«Vielleicht ist er schon mit uns gefahren, vielleicht auch

bloß auf der Straße – ich hab so das Gefühl, es war irgendwo um Lon. Oder Little Lon ... Läßt diese hochnäsige Visage bei dir etwas klingeln, Cec?»

«Nee. Muß auf deiner Route gewesen sein.»

«Sehen Sie, wir arbeiten normalerweise nicht zusammen. Cec hat 'nen Lieferwagen. Aber der hat Ärger mit den Kolben, deswegen fahren wir zusammen 'ne Doppelschicht. Nee, ich erinnere mich nicht. Warum wollen Sie das wissen?»

«Damit ich die Polizei benachrichtigen kann, natürlich», erklärte Dr. MacMillan ruhig. «Er muß gefaßt und ins Gefängnis gesteckt werden. Wenn sie stirbt, ist er ein Mörder. Diese Schlächter! Sie setzen auf den guten Ruf dieser dummen Dinger – es sind immer die Unschuldigen und Betrogenen, die ihnen ins Netz gehen –, und dann verstümmeln sie sie und verlangen für diese Barbarei zehn Pfund und lassen sie einfach wie Abfall in der Gosse liegen, wo sie dann verbluten können. Für solche Männer ist keine Tat zu niedrig – wirklich keine. Könnte ich einen davon in die Hände bekommen, ich würde ihn mit Bakterien impfen und dabei zusehen, wie unter Zeter und Mordio das Leben aus ihm weicht, bis er schließlich einen qualvollen, armseligen Tod stirbt.»

«Trotzdem, keine Bullen», murmelte Bert, «bloß keine Bullen ...»

«Und wieso nicht? Sie sind die wichtigsten Zeugen.»

«Ja, aber Cec und ich haben alles andere als Grund, die Bullen zu mögen.»

«Ich verlange weder, daß Sie sie mögen, noch wird man sich dort mit Ihren kleinen Gaunereien beschäftigen. Sie beide werden heute nachmittag mit mir zur Russel Street kommen und alles erzählen, was Sie wissen, und ich werde dafür einstehen, daß Sie dort heil wieder herauskommen. Haben Sie mich verstanden?»

Sie hatten verstanden.

Um drei Uhr nachmittags folgten Bert und Cec Dr. Mac-Millan unter dem roten Ziegelsteinportal hindurch in die Polizeistation und traten vor das hohe Podest des dienst-habenden Polizisten.

«Ich bin Dr. Elizabeth MacMillan; ich habe einen Termin bei Kriminalinspektor Robinson.»

«Ja, Madam», sagte der Polizist. «Er erwartet Sie bereits. Ihre Leute, Sir», sagte er zu einem schlicht gekleideten jungen Mann, der neben ihm saß. Sie folgten ihm einen Korridor entlang in ein schmales, trostloses Büro, das in Polizeigrün gestrichen war. Das Mobiliar bestand aus einem Schreibtisch, einem Aktenschrank und vier harten Stühlen. Draußen vor dem Fenster hielt gerade die Straßenbahn. Auf sein Zeichen setzten sie sich, und während er einen großen Ordner hervorholte und einen Füllfederhalter aufschraubte, herrschte einen Moment lang Schweigen.

«Ihre Namen, bitte», sagte er mit sorgsam gleichbleibender Stimme. Der Mann hatte überhaupt nichts Auffälliges an sich und wirkte mit seinen mittelbraunen Haaren und den mittelbraunen Augen farblos. Sie alle gaben ihre Namen an. Als er Albert Johnson und Cecil Yates hörte, mußte er grinsen.

«Die roten Radaubrüder, was? Immer noch im Kampf gegen die kapitalistische Bedrohung? Schon in Rußland gewesen? Wahrscheinlich mit einer Menge an Besitz, der in begründetem Verdacht steht, unrechtmäßig erworben zu sein.»

Cec starrte kläglich auf Dr. MacMillan.

Bert sah den Polizeibeamten finster an und knurrte: «Eure Zeit wird kommen, Unterdrücker der Witwen und Waisen, Beschützer der Ausbeuter ...»

«Das reicht», unterbrach ihn Dr. MacMillan. «Wie Sie sich erinnern werden, Inspektor, habe ich Ihnen von diesen beiden Herren berichtet. Sie haben sich gegenüber diesem unglücklichen Mädchen bemerkenswert edel und ritterlich verhalten. Ich habe ihnen zugesichert, daß sie nur hier sind, um ihre Beobachtungen über diesen Abtreibungsschlächter wiederzugeben, und ich möchte mein Versprechen keinesfalls brechen.»

Sie starrte den Inspektor an, der verlegen zusammenfuhr.

«In Ordnung, Madam, Sie haben recht. Nun, erzählen Sie mir alles über diesen Mann.»

Bert wiederholte mit Cecs Unterstützung die Beschreibung, und der Inspektor verlor seinen Gleichmut. Er blätterte durch seinen Ordner und las laut vor: «Eins achtzig groß, kurzgeschnittenes Haar, dunkelhäutig, an der linken Hand ein Siegelring.»

«Korrekt», bestätigte Bert. «Wir konnten seine Haare wegen des Huts nicht genau sehen, aber ich glaube, sie waren schwarz oder ganz dunkelbraun, wie Schuhcreme. Und ein kleiner Schnurrbart, nur eine Linie über der Oberlippe.»

«Das ist er», sagte der Polizist. «Er treibt dieses Spiel schon seit drei Jahren – so lange wissen wir jedenfalls davon. Wir nennen ihn George, den Schlächter. Das erste Opfer war ein Mädchen namens Mary Elizabeth Allen. Sie wurde tot in den Flagstaff Gardens aufgefunden, nachdem ein Mann seiner Beschreibung sie aus einem Auto geworfen hatte. Anständiges Mädchen, nebenbei bemerkt. Die nächste war eine Prostituierte, die als Fröhliche Lil bekannt war; ihr wirklicher Name lautete Lillian Marchent, und sie wurde sterbend im Rinnstein in der Fitzroy Street gefunden. Sie sagte, ein Mann namens George Flechter hätte die Sache gemacht, und gab uns eine ähnliche Beschreibung. Natürlich, auf das Wort eine solchen Mädchens kann man nicht allzuviel geben ...»

«Ach, kann man nicht?» unterbrach ihn Dr. MacMillan, und ihr Akzent wurde immer schottischer, je mehr sie sich aufregte. «Ich hatte mit genügend von ihnen zu tun, um zu wissen, daß man ihnen genauso vertrauen kann wie jedem anderen – diese Frauen sind auch Menschen, Herrgott noch mal! Der Tod von Lil ist genauso eine Tragödie wie der der anständigen Mädchen – Sterben bedeutet für alle das gleiche, Herr Kriminalinspektor.»

Dr. MacMillan sah, daß Bert, Cec und der Polizeibeamte sie alle mit demselben verwirrten Ausdruck anstarrten. Sie schloß daraus, daß alle Männer gleich waren, egal, ob sie nun auf der einen oder der anderen Seite des Gesetzes standen, und hielt ihre Zunge im Zaum. Der Polizeibeamte fuhr mit dem Vorlesen fort.

«Die dritte war eine verheiratete Frau und hatte acht Kinder, und sie schaffte es noch nach Hause, bevor sie verblutete. Sie hinterließ ihrem Mann eine Nachricht, in der sie ihm mitteilte, daß George zehn Pfund verlangt hätte und daß es ihr leid täte. Es wurde beobachtet, wie ein Mann das Haus verließ, auf den die Beschreibung paßte. Das war vor sechs Monaten. Und jetzt Ihr Mädchen – was glauben Sie, wann es gemacht wurde?»

«Vor zwei bis drei Tagen.»

«Wird sie überleben?»

«Ich hoffe es. Aber ich weiß es nicht», sagte Dr. MacMillan seufzend. Der Inspektor lehnte sich in seinem Stuhl zurück.

«Wir wissen nicht genug. Es ist immer schwer, sie aufzuspüren, weil die Opfer sich vor sie stellen. Ein junges Mädchen in dieser Situation scheint lieber den Tod in Kauf zu nehmen als weiter schwanger zu sein und damit der gesellschaftlichen Schande ins Auge zu sehen. Und einige von ihnen sind recht fähig. Manche verwenden sogar Äther und haben ein Operationszimmer. Aber manche, wie dieser Mistkerl – entschuldigen Sie, Madam –, bedienen sich der Mädchen, bevor sie den Eingriff vornehmen.»

Cec knurrte, und Bert fragte: «Wenn Sie all das wissen, warum schnappen Sie ihn dann nicht?»

«Keine Beweise. Diejenigen, die sterben, ist er los.»

«Und die, die überleben, halten dicht. Ich verstehe, sie haben sich strafbar gemacht, indem sie abgetrieben haben», sagte Dr. MacMillan. «Wir bekommen genug davon im Krankenhaus zu Gesicht. Sie bluten wie abgestochene Schweine, haben Infektionen, sind verstümmelt, aufgerissen und für ihr Leben unfruchtbar, und sie alle bestehen darauf, daß es ein zu heißes Bad, ein Ausritt war oder daß sie eine steile Treppe hinuntergefallen sind. Nun gut, Inspektor. Vielen Dank, daß Sie uns empfangen haben.»

«Heißt das, Sie werden gar nichts unternehmen?» protestierte Bert. Der Kriminalinspektor wandte sich ihm mit ernüchtertem Gesicht zu.

«Mobilisieren Sie doch Ihre Genossen», schlug er tonlos vor. «Dieser George treibt sich irgendwo in der Nähe herum, wo Sie das arme Ding aufgegriffen haben. Halten Sie die Augen offen, vielleicht sehen Sie ihn wieder.»

«Ich sag Ihnen was», rief Bert, als er hinausgeleitet wurde, «wenn ich ihn sehe, fahr ich den Mistkerl über den Haufen!»

Wieder in ihrem Taxi, übernahm Cec das Steuer und Bert das Fragen.

«Wird sie überleben?»

«Wie ich schon dem Polizeibeamten gesagt habe, ich weiß es nicht. Ich habe den restlichen Inhalt aus der Gebärmutter entfernt, so daß der Infektionsherd beseitigt ist. Ich habe die Risse genäht und jede Stelle, die ich erreichen konnte, desinfiziert. Ihr Schicksal liegt nun in ihren eigenen Händen. Und übrigens, ich muß noch den Almosenpfleger aufsuchen, damit wir ihre Familie finden, und ich habe um vier eine Operation – können wir also mit der Bummelei aufhören?»

Cec ließ das Getriebe knirschen, und sie legten an Geschwindigkeit zu.

Dr. MacMillan wurde vor ihrem Krankenhaus abgesetzt, und Cec und Bert setzten ihre Tour fort. Sie sprachen nicht, sondern machten nur durch die ganze Stadt ihre Runden, nahmen Fahrgäste auf und hielten Ausschau nach dem großen Mann mit dem Schnurrbart und dem Siegelring mit dem großen Diamanten. Cec löste Bert ab und Bert löste wieder Cec ab, bis sie ungefähr um drei Uhr morgens heim nach Carlton fuhren.

«Das kann einem ganz schön die Laune verderben?» rief Bert und schlug nach einem vorbeiziehenden Zaun. «Findste nicht?»

Cec schwieg, aber das war normal bei ihm.

VIER

Wenn dieser Bauer herbeigeschlendert kommt
Und ziellos seine Hacke wetzt,
Werde ich ihm voranlaufen
Und die feinsten Düfte verströmen
Von Geranien und nie gerochenen Blumen.
Das wird ihn abhalten.

Die Verschwörung gegen den Riesen,
Wallace Stevens

Sie sind doch nicht eine von denen, die Weiße als Sklaven verkaufen, oder?» fragte Dorothy plötzlich und blieb so abrupt stehen, daß ein Mann hinter ihr beinahe seine Zigarre verschluckte. Phryne griff sich leise kichernd in die Jackentasche.

«Wenn du das wirklich glaubst, dann nimm diese zehn Pfund und geh heim zu deiner Mutter», schlug sie vor. Die Vorstellung, in der Block Arcade nach geeigneten weißen Sklaven Ausschau zu halten, regte ihre Phantasie an. Dorothy starrte so gebannt zu Boden, als würde sie nach dem Gold Ausschau halten, mit dem die Straßen Melbournes im Volksglauben gepflastert sein sollten.

Nach einer kurzen Weile ergriff das Mädchen Phrynes Hand.

«Eigentlich glaube ich es nicht», sagte sie in ihrem schroffen, gedehnten Australisch. «Nicht wirklich. Aber sehen Sie, in ‹Women's Own› stand, daß eine Menge berufstätiger Mädchen von denen gegriffen wird.»

«Das stimmt. Jetzt komm aber, es ist nicht mehr weit.»

«Nicht so schnell, Miss, Sie rennen so. Ich bin völlig kaputt.»

«Tut mir furchtbar leid, Schätzchen», murmelte Phryne und tätschelte Dorothys Hand, während sie ihren schnellen Schritt verlangsamte. «Wir sind gleich da; nur noch den Hügel hinauf und um die Ecke. Dann kannst du ein Bad nehmen und vielleicht – ja, einen Cocktail trinken und ...»

Phryne führte Dorothy die Treppen zum Windsor hinauf und an dem erhabenen Portier vorbei, der beim Anblick der unglücklichen und nicht standesgemäß gekleideten Dorothy nicht ein bißchen mit der Wimper zuckte. Die einzige Bemerkung, die er sich selbst gegenüber gestattete, war, daß die Adeligen doch einen sonderbaren Geschmack hatten.

Phryne geleitete Dorothy ins Badezimmer und schloß dann von außen die Tür, nachdem sie sie angewiesen hatte, sich gründlich Gesicht und Haare zu waschen, und ihr gezeigt hatte, welches Mittelchen man für welchen Zweck benutzte. Sie ließ eine unschlüssige Dorothy zurück, die sich einem ganzen Arsenal an Fläschchen, Tuben, Kästchen und Seifenkugeln ausgesetzt sah, das auf einem Tisch ausgebreitet lag, der von einer langen Tischdecke bedeckt war und neben einer zierlichen nackten Nymphenskulptur aus Bronze stand. Sicher war es die Nymphe gewesen, die Dorothys unbewußtes Mißtrauen erregt hatte. Doch immerhin, einige plätschernde Geräusche und die duftenden Dampfwölkchen, die unter der Tür hervorkamen, deuteten darauf hin, daß ihr Mißtrauen sich weder gegen heißes Wasser noch gegen Phrynes Kosmetikartikel richteten. Der Duft von Koko-für-die-Haare (das auch vom dänischen Königshaus benutzt wurde) sprach für sich selbst.

Phryne hatte nur wenige tiefverwurzelte Ängste, aber

Läuse waren eine von ihnen. Allein schon bei dem Gedanken bekam sie eine Gänsehaut. In frühester Jugend hatte sie einmal einen furchtbaren Tag mit einem nach Kerosin stinkenden Handtuch um den Kopf verbringen müssen, und wenn sie es verhindern konnte, wollte sie das nicht noch einmal durchmachen. Sie stöberte in ihrem vierten Schrankkoffer herum und fand ein sehr schlichtes Nachthemd und einen zartorangenen Morgenmantel, der ihr selbst überhaupt nicht stand, und setzte sich hin, um ihre Besuchsliste durchzugehen.

Morgen früh würde sie gut zwanzig Personen ihre Karte überbringen müssen, und diese Vorstellung bereitete ihr wenig Vergnügen. Sie suchte eine passende Auswahl an Visitenkarten heraus und schrieb auf jede den Namen der Person, die sie an den Hausherrn oder die Hausherrin empfohlen hatte. Dafür brauchte sie ungefähr zwanzig Minuten, und als diese vorüber waren, wunderte sich Phryne über die Stille im Badezimmer. Sie ging durch das Zimmer und klopfte, mit den Kleidungsstücken über dem Arm.

«Ist alles in Ordnung?» rief sie, und die Tür öffnete sich einen Spalt.

«Oh, Miss, ich habe mein Kleid zerrissen, und es ist das einzige, das ich habe!» jammerte das unglückliche Mädchen.

Phryne stopfte die Nachtsachen durch den Spalt und befahl: «Zieh die hier an, Dorothy, und komm heraus. Ich werde dir genügend Vorschuß geben, damit du dir neue Kleider kaufen kannst.»

Aus dem Badezimmer ertönte ein gedämpftes Schlucken, beinahe ein Schluchzen, und einen Augenblick später trat Dorothy in rauschendem orangenem Satin hervor.

«Oh, ist das schön! Ich liebe hübsche Kleider!» rief sie. Es war die erste spontane Äußerung von Freude, die Phryne von dem Mädchen hörte, und sie mußte lächeln. Gebadet und in ihrer Sache gerächt, war Dorothy gar nicht wiederzuerkennen. Ihr heller Teint war rosig, ihre Haare erschienen dunkler, da sie noch feucht waren, und ihre Augen strahlten.

Phryne öffnete eine schmale Tür und sagte: «Möchtest du gleich zu Bett gehen? Das ist dein Zimmer, und hier ist der Schlüssel – wenn du magst, kannst du dich einschließen.»

«Wenn ich darf, Miss, möchte ich gern noch ein bißchen aufbleiben.»

«Natürlich. Ich werde Tee bestellen.»

Phryne nahm den Hörer des Haustelefons ab, gab ihre Bestellung auf und setzte sich dann wieder an den Sekretär, während Dorothy auf und ab spazierte und das Rauschen ihres Gewands genoß.

«Haben Sie das ernst gemeint, Miss, daß ich Ihr Dienstmädchen sein soll?» Sie drehte sich vor der Wand um, um zurückzuflanieren.

«Ja, ich brauche ein Dienstmädchen – du siehst ja, in welcher Unordnung sich meine Sachen befinden.» Phryne zeigte auf das Wohnzimmer, in dem großzügig ihre Sachen verstreut lagen. «Aber nur, wenn du willst. Ich bin in einer vertraulichen Angelegenheit hier und stelle im Auftrag ihrer Eltern Nachforschungen über eine Dame an. Wenn du also für mich arbeiten willst, darfst du nicht herumklatschen, und wenn du etwas mitgehört hast, darfst du niemandem davon erzählen. Ich brauche jemanden mit absoluter Diskretion. Wir werden womöglich in vornehmen Kreisen verkehren, aber du darfst nie, auf keinen Fall, etwas über meine

Absichten preisgeben. Über mich darfst du gerne reden», fügte sie breit lächelnd hinzu. «Aber nie über meine Tätigkeit.»

«Ich verspreche es», sagte Dorothy, befeuchtete feierlich ihren Zeigefinger und machte sorgsam ein Kreuz auf der Brust ihres Satinmorgenmantels. «Lieber will ich sterben.»

«Nun denn, alles, was du zu tun hast, ist, auf meine Sachen achtzugeben, die Dinge zu finden, die ich verlegt habe, ans Telefon zu gehen, wenn ich nicht da bin, und dich überhaupt um mich zu kümmern. Zum Beispiel brauche ich morgen jemanden, der sich ein Taxi nimmt, um all diese Karten zu allen Menschen zu bringen, die ich in Melbourne treffen muß. Wie wäre es damit?»

Dorothy reckte ihr Kinn vor.

«Mit einem neuen Kleid könnte ich es machen.»

«Bravo!»

«Wie sieht es mit Lohn aus, Miss?»

«Oh. Ich habe keine Ahnung, was das gängige Gehalt für ein Dienstmädchen ist, das Vertrauensperson und Privatsekretärin in einem ist. Was hast du vorher bekommen?»

«Zwei Shilling sechs die Woche und freie Kost und Logis», sagte Dorothy. Phryne war entsetzt.

«Kein Wunder, daß sie hier Probleme mit dem Personal haben! Was mußtest du dafür tun?»

«Alles, außer Kochen, Miss. Eine Köchin hatten sie. Und die Wäsche wurde zu den Chinesen geschickt. Daher war es nicht zu schlimm. Ich mußte arbeiten gehen. Von dem, was Mutter verdient, können wir nicht leben. Das können Sie natürlich nicht nachvollziehen. Ich möchte nicht respektlos sein, aber Sie wissen nicht, wie das ist. Sie mußten noch nie hungern.»

«O doch, das mußte ich», sagte Phryne grimmig. «Ich habe wirklich schon verdammt hungern müssen. Bis ich zwölf war, hatte meine Familie keinen blanken Heller.»

«Aber wie …?» setzte Dorothy an, während sie ihren Morgenmantel in Falten legte. «Wie?»

«Drei Menschen, die zwischen Vater und dem Titel standen, starben», sagte Phryne. «Nachdem drei junge Männer vor ihrer Zeit gestorben waren, ließ der alte Lord uns aus Richmond mit einem großen Ozeandampfer zu sich in den Schoß des Reichtums verfrachten. Ich habe mich nicht sehr darüber gefreut», bekannte sie. «Meine Schwester starb an Unterernährung und Diphtherie. Mir schien es unheimlich grausam, daß wir all diese Verwandten in England hatten, die so lange keinen Finger krumm gemacht haben, bis Vater zum Erben wurde. Erzähl mir also nichts von Armut, Dot. Ich mußte Kaninchen mit Kohl essen, weil es nichts anderes gab, und ich gestehe, daß ich seitdem weder den Anblick von Kaninchenragout noch von Kohl in jedweder Form ertragen kann. Ah, du hast das blaue Kostüm gefunden, ich hatte schon vergessen, daß ich es gekauft habe.»

Der Tee wurde auf einem Silbertablett gebracht. Dazu gab es Teekuchen, den Phryne sogleich aufschnitt und mit Butter bestrich.

«Nun denk nicht mehr an meine Geschichte, komm lieber her und iß etwas Kuchen», sagte Phryne, die Teekuchen verabscheute. «Den Tee mit Milch, nicht wahr? Und zwei Stücke?»

Dorothy schniefte und war drauf und dran, sich die Nase an ihrem Gewand abzuwischen, doch sie besann sich und ging ins Badezimmer, um nach einem Taschentuch zu suchen. Während sie den Tee eingoß, dachte Phryne darüber nach, daß Dorothy sehr müde sein mußte. Vergeltung und Erlösung nahmen einen genauso mit wie Haßgefühle und Mord. Sie nahm eine kleine weiße Tablette und ließ sie in den Tee fallen. Dorothy brauchte ihren Schlaf.

Das Mädchen kam zurück und fiel verheißungsvoll über den Kuchen her, bevor sie nach ihrer Tasse griff.

«Ich werde morgen früh bei einer Agentur anrufen, um herauszufinden, wieviel ich dir bezahlen muß», sagte Phryne. «Und wir werden dir morgen ein paar Kleider kaufen. Für die Dienstkleidung werde ich aufkommen, und du bekommst einen Vorschuß, damit du dir deine eigenen Sachen kaufen kannst. Außerdem werden wir dein Gepäck vom Bahnhof abholen.»

«Ich denke, ich sollte jetzt besser zu Bett gehen», stellte Dorothy mit schwerer Zunge fest, und Phryne half ihr in die Kammer, packte sie ins Bett, und noch bevor sie die Tür geschlossen hatte, bemerkte sie, daß das Mädchen fest schlief.

«Zwei Shilling sechs die Woche plus Kost und Logis», sagte Phryne. Sie goß sich noch Tee nach und zündete sich eine Zigarette an. «Das arme kleine Ding.»

Alice Greenham wachte in einem weiß bezogenen Bett auf und schwebte auf einer Wolke aus Morphium über ihrem geschundenen Körper. Von Zeit zu Zeit kamen Frauen in großen weißen Schürzen an ihr Bett und taten Dinge mit diesem Körper, der für Alice zu jemand anderem gehörte. Sie benäßten ihn mit kaltem Wasser und legten feuchte Tücher darüber. Das sah lustig aus, und sie kicherte. Wenigstens war das Baby fort, und ohne diesen sichtbaren Beweis für ihre Schande konnte sie in ihr gottgläubiges und anständiges Zuhause zurückkehren.

Sie hätte nie geglaubt, daß fünf Minuten ein Leben derart verändern könnten. Sie war bei einer Tanzveranstaltung der Kirche gewesen und hatte sich von einem Jungen, dem Sohn eines Diakons, den sie immer für anständig gehalten hatte, dazu verleiten lassen, mit in den Fahrradschuppen zu kommen. Sie hatten an der knarrenden Holzwand gelehnt, während er an ihren Kleidern herumgefingert und ihr gesagt hatte, daß er sie liebte und sie heiraten würde, sobald ihn sein Vater zum Teilhaber seines Geschäftes machen würde. Aus dieser freudlosen, unbeholfenen Vereinigung waren ihre ganzen Schwierigkeiten entstanden. Als sie ihn das nächste Mal traf, wich er ihrem Blick aus, so, als kenne er sie nicht, und als sie ihm von dem Baby erzählte, hatte er geschrien: «Nein! Nicht von mir! Du mußt es mit einer Menge Kerle getrieben haben!» Und als sie darauf bestanden hatte, hatte er sie ins Gesicht geschlagen.

Die Krankenschwestern – sie erkannte sie an ihren Hauben – hatten sich um den Körper versammelt. Eine Frau in Hosen zog gerade eine Spritze auf. Alice spürte, daß die Lage ernst war. Sie war schläfrig und fühlte sich körperlos und leicht, und sie versuchten, sie in das leidende, sich windende Ding unter ihr zurückzuzerren. Nun, sie würde nicht zurückgehen. Sie war genug verletzt worden. Dieser schmierige Kerl, George, der sie mit seinen dreckigen Händen überall angefaßt hatte. Nein, sie würde nicht zurückgehen, niemand konnte sie dazu zwingen.

Nun drückten sie den Körper nieder. Er kämpfte. Die Frau in Hosen spritzte etwas in die Brust. Der Körper fiel plötzlich zurück, und die Schwestern drängten sich um ihn.

Sie konnte einen Aufschrei nicht unterdrücken, als der Körper sie in sich zurückzog und ihr gepeinigter Unterleib sich zusammenkrampfte. Sie öffnete die Augen, sah direkt in Dr. MacMillans Gesicht und flüsterte: «Das ist nicht gerecht ... alles war so leicht ...», bevor ihre Worte von einem langen heiseren Schrei ausgelöscht wurden. Das Fieber war besiegt.

FÜNF

Dankt unserm Gott, lobsinget ihm,
rühmt seinen Namen mit lauter Stimm …

Der hundertste Psalm,
Kirchenchoral

Phryne brütete gerade beim Frühstück über der Gesellschaftsspalte der Zeitung, als sie Dorothy im Badezimmer hörte. Im selben Moment erschien die junge Frau und sah viel erholter aus. Phryne wählte ein beiges Strickkostüm und reichte es ihr zusammen mit einer Auswahl Unterwäsche und einem Paar Schuhe. Dorothy zog die Sachen willig an, doch Phrynes Schuhe waren zu groß für sie.

«Zieh fürs erste wieder deine Hausschuhe an, wir werden dir morgen ein paar Schuhe kaufen. Heute ist Sonntag. Hör dir diese Glocken an! Laut genug, um Tote aufzuwecken!»

«Das scheint mir der Zweck zu sein», warf Dorothy ein, woraufhin Phryne von ihrer Zeitung aufsah und dachte, daß gewiß mehr in Dorothy steckte, als sie auf den ersten Blick vermutete. Auf Phrynes Anweisung hin hatte sich das Mädchen selbst ein üppiges Frühstück bestellt und saß nun um acht Uhr morgens so friedvoll über Eiern und Gebratenem, als hätte sie nie mit Mordgedanken im Herzen auf der Lauer gelegen.

«Was muß ich tun, wenn ich die Karten überbringe, Miss?» fragte sie und schluckte unter Mühe einen Bissen Eier und Speck hinunter.

«Sag dem Taxifahrer einfach, er soll warten, und dann gehst du zur Vordertür, läutest und gibst die Karte demjenigen, der dir öffnet. Du brauchst nichts zu sagen. Ich habe meine Adresse auf die Rückseite geschrieben. Wirst du das schaffen?»

«Ja, Miss», sagte sie mit vollem Mund.

«Gut. Ich werde mit Dr. MacMillan im Queen Victoria Hospital zu Mittag essen, und vorher werde ich in die Kirche gehen. Wenn du zurückkommst, sieh bitte zu, daß du ein wenig Ordnung in meine Garderobe bringst, ja? Ich werde am Nachmittag zurück sein. Bestell dir zum Mittag, worauf du Appetit hast. Vielleicht wäre es besser, wenn du so lange im Hotel bleibst, bis ich zurück bin. Wir wollen doch keinen Ärger mit deinem bisherigen Arbeitgeber, nicht wahr? Hier ist das Geld für das Taxi; gib dem Fahrer, was das Taxameter anzeigt und zwei Shilling Trinkgeld, nicht mehr, und vergiß nicht, deine Siebensachen vom Bahnhof abzuholen. Ich muß sagen, dieses Kostüm steht dir ausgezeichnet, Dorothy. Du siehst richtig elegant aus.»

Dorothy errötete, nahm das Geld an sich, was mehr war, als sie jemals in ihrem Leben zu Gesicht bekommen hatte, und stürzte den Rest ihres Tees hinunter. Sie erhob sich, glättete den beigen Rock und sagte stockend: «Ich bin Ihnen so dankbar, Miss.»

«Überlege dir, ob du das auch noch sein wirst, wenn du mit dieser Unordnung fertig geworden bist», sagte Phryne munter. «Hast du alles? Gut, dann nichts wie los mit dir.»

Dorothy ging, und Phryne mußte über sich selbst lächeln, als die Frage in ihr aufstieg, ob sie das Mädchen je wiedersehen würde, jetzt, wo sie sie mit fünf Pfund und einem neuen Kleid fortgeschickt hatte. Im Geiste ohrfeigte sie sich für derart zynische Gedanken und dachte, daß es nun allerhöchste Zeit für die Kirche war.

Anderthalb Stunden später konnten die Spaziergänger eine schlanke, selbstbewußte und wunderschön gekleidete junge Frau die Swanston Street zur Kathedrale hinunterschlendern sehen. Es war ein klarer, kühler Morgen, und sie trug ein strenges dunkelblaues Seidenkostüm mit einem einzigartigen Spitzenkragen, dunkle Strümpfe und schwarze Pumps. Auf dem Kopf trug sie einen schwarzen Glockenhut, und das einzig Exzentrische an ihr waren ihre Saphirohrringe, die strahlender funkelten als ein Kirchenglasfenster. Sie stieg die Stufen zur Kathedrale empor, als wäre sie leicht überrascht, daß das große Westportal nicht extra für sie geöffnet worden war, und nahm anmutig auf einer der hinteren Sitzbänke Platz. Sie nahm von einem gutgelaunten Herrn einen Liturgieplan und ein Gesangbuch entgegen und warf ihm ein Dankeslächeln zu. Er kam ihr bekannt vor.

Er war untersetzt, hatte ein rötliches Gesicht, war aufs beste gekleidet und trug ein Hemd, das mehr als schneeweiß war. Als die Orgel den hundertsten Psalm anstimmte, erkannte ihn Phryne als den Mann, der sie gestern abend durch den Speisesaal hindurch angelächelt hatte.

Sie erhob sich zum Gesang und hörte einen donnernden Baß neben ihrem hellen Sopran, der sich spielend über das ziegenartige Gemecker erhob, das in den meisten anglikanischen Gemeinden als Gesang gilt.

Dankt unserm Gott, lobsinget ihm,
rühmt seinen Namen mit lauter Stimm; ...

Ihr Nachbar fügte diesem Choral ohne Zweifel eine fröhliche und kräftige Note hinzu. Phryne gefiel das. Wenn man schon in der Kirche singen wollte, dann sollte man es auch richtig tun. Als das Lied zu Ende ging, hatten sie ein gewisses Maß an Aufmerksamkeit der höflichen Mitbürger in den vorderen Reihen auf sich gezogen, und Phryne lächelte ihrem Nachbarn zu.

«Ich mag es, anständig zu singen», flüsterte er. «Dieses bloße Gejaule geht mir auf die Nerven!»

Phryne lachte sanft und stimmte ihm zu. Der Herr schob ihr seine Visitenkarte in das aufgeschlagene Gesangbuch, und sie erwiderte die Geste mit der ihrigen. Auf fester cremefarbener Pappe stand dort nicht gedruckt, sondern eingestanzt: «Hon. Phryne Fisher, Colling Hall, Kent». Sie wußte, daß die Karte unschlagbar elegant war. Auch seine Karte war gestanzt und besagte, daß es sich bei dem rosigen Gentleman, der gerade andächtig den Worten eines leicht verschnupften Predigers lauschte, um Mr. Robert Sanderson, Parlamentsabgeordneter aus Toorak, handelte. Phryne erinnerte sich, daß er auf ihrer Liste mit wichtigen Persönlichkeiten stand, und ließ die Karte in ihre Handtasche gleiten, um sich auf die Predigt zu konzentrieren.

Sie dauerte nicht lang, was ein Segen war, und befaßte sich hauptsächlich mit der christlichen Nächstenliebe. Phryne hatte schon so viele Predigten über christliche Nächstenliebe gehört, daß sie beinahe jedes Wort voraussagen konnte, und vertrieb sich für eine Weile angenehm die Zeit, indem sie genau das tat und zudem die bunten Glasfenster bewunderte, die die Morgensonne einfingen und wie Juwelen funkelten. Die Predigt ging in das Glaubensbekenntnis über, und Phryne bekannte sich mit völliger Offenheit dazu, daß sie Dinge getan hatte, die man eigentlich nicht tun sollte, dafür aber die, die sie hätte tun sollen, nicht getan hatte. Während der Gottesdienst fortlief, dachte sie an ihre

Zeit in Paris, an der Rive Gauche, wo sie vieles getan hatte, was sich eigentlich nicht gehörte, sich aber nichtsdestotrotz für eine Zeit als besonders vergnüglich erwiesen hatte, und sie erinnerte sich daran, wie sie Zeuge gewesen war, als Marcel Duchamps in einem Pariser Café von einem Kind Schachmatt gesetzt wurde. Das, dachte Phryne, war wirklich ein paar kleine Sünden wert gewesen. Sie stand eilig zum Abschlußchoral auf, und die Kirche begann sich zu leeren. Mr. Sanderson bot ihr seinen Arm an, und Phryne hakte sich bei ihm ein.

«Ich glaube, ich habe meine Karte bei Ihrer Gattin hinterlassen, Sir», sagte sie lächelnd. «Ich bin sicher, daß wir uns wiedersehen werden.»

«Das hoffe ich, Miss Fisher», sagte der Abgeordnete mit tiefer, voller Stimme. «Jungen Damen, die singen können, bin ich immer sehr zugeneigt. Außerdem glaube ich, Ihren Vater gekannt zu haben.»

«Tatsächlich, Sir?» Phryne zeigte sich keine Spur erschreckt darüber, daß ihre Herkunft aus der Arbeiterklasse kurz davor stand, enthüllt zu werden, und der Abgeordnete bewunderte ihren Mut.

«Ja, ich wurde ihm vorgestellt, als er nach England abfuhr; ein kleines Problem mit den Fahrkosten. Es war mir eine Ehre, ihm beistehen zu können.»

«Ich gehe davon aus, daß er nicht vergessen hat, alles zurückzuzahlen, Sir?» fragte Phryne frostig. Mr. Sanderson tätschelte beruhigend ihren Arm.

«Selbstverständlich nicht. Ich bedaure, die Sache erwähnt zu haben. Darf ich Sie begleiten, Miss Fisher?»

«Nein, Sir, ich muß zum Queen Victoria Hospital. Aber vielleicht könnten Sie mir den Weg dorthin beschreiben?»

«Immer die Straße herunter, Miss Fisher, am Rathaus vorbei, dann biegen Sie in die Little Lonsdale Street und kommen direkt auf den Mint Place. Der Weg beträgt ungefähr eine halbe Meile.»

«Ich danke Ihnen, Sir», sagte Phryne lächelnd. Sie empfahl sich und ging traurig und ein bißchen gekränkt davon. Wenn ihr Vater wirklich in ganz Melbourne Ehrenschulden hinterlassen hatte, dann würde es schwierig für sie werden, ihren Platz in der Gesellschaft einzunehmen. Dennoch mochte sie Mr. Sanderson. Er besaß eine laute, herzliche Stimme und ein offenes, ungekünsteltes Wesen, das jedem Politiker zum Vorteil gereichen mußte. Und vielleicht könnte er sie zum Mittagessen in den Melbourne Club einladen, jene Bastion, die sie unbedingt erobern wollte.

Sie erklomm den Hügel zum Museum, fand mit einiger Mühe den Mint Place und kündigte sich an der Anmeldung eines baufälligen Gebäudes an, in dem es recht angenehm nach Milch und Karbol roch.

Das Gebäude bestand teils aus Holz und teils aus Backstein und schien eher aus der Spontaneität des Augenblicks heraus als nach einem vorgefertigten Plan erbaut worden zu sein. Innen war es weiß und butterblumengelb gestrichen.

Dr. MacMillan erschien in einem weißen Kittel, der sie gut kleidete, und trug darunter eine Herrenhose und dazu ganz formell ein Hemd mit Krawatte, die unter ihrer Tweedweste hervorschauten.

«Hier entlang, meine Liebe, dann zeige ich Ihnen ein Sprechzimmer, eine Station und den Säuglingssaal, bevor wir zum Essen gehen», sagte Dr. MacMillan über ihre Schulter hinweg, während sie eine mit Öltuch ausgelegte Treppe wie ein Hindernisläufer nahm.

Trotz ihres Alters und ihrer massigen Gestalt war Dr. MacMillan so stark wie ein Pferd. Sie erreichten unbeschadet den Treppenabsatz, und Dr. MacMillan öffnete eine Tapetentür, hinter der sich ein schmaler weißgetünchter, fensterloser Raum befand, der mit einer Liege, Stuhl und Schreibtisch und einem Medikamentenschrank ausgestattet war.

«Klein, aber zweckmäßig», bemerkte die Ärztin. «Und nun zum Säuglingssaal.»

«Sagen Sie», erkundigte sich Phryne, «wie ist dieses Frauenkrankenhaus entstanden? Handelt es sich um eine wohltätige Stiftung der alten Königin?»

«Die ganze Angelegenheit verlief ganz erstaunlich, Phryne – so etwas ist nur in einem jungen Land möglich. Zwei Ärztinnen eröffneten hier in Melbourne eine Praxis, und die medizinischen Institutionen, die damals genausovoll von engstirnigen und angefaulten Konservativen waren, wie sie es heute noch sind, wollten es ihren weiblichen Kollegen nicht erlauben, die reine Atmosphäre ihrer Krankenhäuser zu besudeln. Krankenschwestern, ja. Ärztinnen, nein. Also ließen sie sich im Gemeindehaus der walisischen Kirche nieder – die einzige Gemeinde, die es ihnen erlaubte, und seither fühle ich mich mit den Walisern freundschaftlich verbunden. Dort hatten sie eine Wasserstelle und einen Sterilisator und ziemlich bald mehr Patientinnen, als sie aufnehmen konnten. Sie schliefen auf dem Fußboden, und jede Stunde wurden neue Patientinnen eingeliefert. Da sie aber keine reine Entbindungsklinik sein wollten, reichten sie eine Petition für ein Allgemeines Krankenhaus ein. Selbstverständlich versagte ihnen die Regierung jegliche finanzielle Unterstützung. Also sandten sie eine Bittschrift an Königin Victoria, und jede Frau in Victoria spendete einen Shilling, und die alte Königin erteilte ihnen die Erlaubnis und gab ihnen das Recht, es Queen Victoria Hospital zu nennen. Leider ist die Bausubstanz nicht die allerbeste. In einigen Jahren werden wir in ein neues Gebäude umziehen, dann können wir diese Behausung dem Erdboden gleichmachen. Früher war das eine Schule für Gouvernanten. Hier ist der Säuglingssaal, Phryne. Mögen Sie Babys?»

Phryne lachte.

«Nein, gar nicht. Sie haben überhaupt nichts Ästhetisches an sich wie ein Welpe oder ein Kätzchen. Auf mich wirken sie, ehrlich gesagt, immer etwas betrunken. Schauen Sie sich das da an – man könnte schwören, es hätte an der Ginflasche genuckelt.»

Sie deutete auf ein schwankendes Kind, das mit breitem, geistesabwesendem Lächeln immer wieder versuchte, nach einem großen Wollknäuel zu greifen, was ihm jedesmal mißlang. Phryne hob das Knäuel auf und gab es dem Kind, das glucksend mit der Hand winkte. Elizabeth hob das Baby hoch und kitzelte es, wozu es gurrte. «Nicht der leiseste Anflug von mütterlichen Gefühlen?» fragte sie verschmitzt.

«Nicht der leiseste», sagte Phryne mit breitem Lächeln, während sie die kleine, dickliche Hand des Babys schüttelte. «Auf Wiedersehen, Baby, ich hoffe, deine Mutter liebt dich mehr.»

«Vielleicht», antwortete die Ärztin trocken, «aber sie hat ihn trotzdem ausgesetzt. Wenigstens hat sie ihn an uns gegeben und nicht an eine berufsmäßige Pflegemutter, die es verhungern lassen würde.»

«Wie viele gibt es hier davon?» fragte Phryne und hielt sich die Ohren zu, als eines der Babys zu schreien anfing, wor-

aufhin die anderen es ihm nachmachten, so daß der Säuglingssaal von vielen kleinen Wutausbrüchen widerhallte.

«Ungefähr dreißig; heute war es eine ruhige Nacht», antwortete die Ärztin. Sie legte das Kind wieder in sein Bett-
chen zurück und führte Phryne aus dem Säuglingssaal und
eine breite Treppe hinunter zu einer Station.

Dort erstreckten sich, so weit das Auge reichte, Reihen
von weiß bezogenen Betten. Um einige der Betten herum
waren gelbe tragbare Paravents aufgestellt, und auf den
meisten der weißen Nachttischchen befanden sich kleine
persönliche Gegenstände: Photographien, Bücher oder Blumen. Der Fußboden war gebohnert und völlig staubfrei,
und längsseitig befand sich ein langer Ablagetisch, auf dem
haufenweise Bettzeug, Tabletts und medizinische Utensilien
lagen.

«Hier haben wir einen bemerkenswerten Mann», fuhr sie
fort und blieb, von der Tür aus gesehen, vor dem siebten
Bett stehen. «Er brachte dieses bedauernswerte Mädchen
her – sie war in seinem Taxi ohnmächtig geworden.»

Cec stand auf, legte vorsichtig Alices Hand nieder und
senkte den Kopf. Alice erwachte, sah eine elegante Dame
vor sich und lächelte.

«Guten Tag, wie geht es Ihnen?» fragte Phryne und
wurde von einer Welle der Zuneigung für das Mädchen er-
faßt.

«Besser», flüsterte Alice. «Langsam fühle ich mich besser.» Und Cec sagte langsam: «Absolut wahr.»

«Müde», murmelte Alice und schwebte wieder davon.
Cec setzte sich und nahm wieder ihre Hand.

«Was ist mit ihr geschehen?» erkundigte sich Phryne, als
sie weitergingen.

67

«Eine verbrecherische Abtreibung – das Ungeheuer hätte sie mit seiner dilettantischen Schlächterei beinahe umgebracht – und nach dem, was sie erzählte, hat er sie auch vergewaltigt.»

«Und die Polizei?» fragte Phryne zusammenzuckend.

«Die hat gesagt, sie könnten nichts tun, bis jemand diesen Mistkerl aufspürt. Ich glaube, der Taxifahrer und sein Freund suchen nach ihm. Sie waren sehr besorgt. Haben Sie ihn wiedererkannt, Phryne?»

«Natürlich, Cec, Berts Kumpan. Sie denken doch nicht, daß er für ihren Zustand verantwortlich ist?»

«Natürlich habe ich es erwogen. Aber ich glaube es nicht. Sein Freund sagte, daß er sie noch nie vorher gesehen hatte, bis der Mann sie in der Lonsdale Street in ihr Taxi setzte.»

«Wird sie überleben?» fragte Phryne.

«Ich denke ja», sagte Dr. MacMillan.

«Nun denn, ich habe einen netten Ort für unser Mittagessen gefunden, lassen Sie uns also besser aufbrechen, sonst werde ich wieder abgelenkt und vor nächster Woche nicht zum Mittagessen kommen.»

Sie ging schnellen Schrittes voran zu einem kleinen Ladenrestaurant mit geschrubbten Kiefernholztischen und steinernen Wänden und zog einen Stuhl hervor.

«Ach, ein wunderbarer Ort», seufzte Dr. MacMillan. «Die Frau des Hauses macht hervorragende Pasteten, und der Kaffee ist so gut, wie man ihn sich nur wünschen kann. Mrs. Jones», bellte sie durch die Durchreiche, «Mittagessen und Kaffee! Und zwar dalli!»

«Alles klar, Frau Doktor, immer mit der Ruhe!» kam als Antwort aus dem Raum dahinter, was ein Hinweis darauf war, daß Dr. MacMillan ihre Anwesenheit schon des öfteren spürbar gemacht hatte. Phryne legte ihre Handtasche ab und zündete sich eine Zigarette an.

«Wie ich sehe, hat man sich hier mit Ihren Hosen abgefunden, Elizabeth», bemerkte sie.

«Ja, das haben sie, und das ohne zu murren.» Dr. MacMillan fuhr sich mit der breiten Hand durch ihr kurzgeschnittenes graumeliertes Haar. «Und sie haben eine faszinierend große Auswahl an Patientinnen. Ah, der Kaffee.»

Der Kaffee wurde, gemeinsam mit heißer Milch und Streuzucker, in einer großen Kanne serviert. Phryne goß sich eine Tasse ein und nippte. In der Tat, er war großartig.

«Und, was haben Sie getan, Liebe?» fragte die Ärztin.

«Mich eingerichtet. Ich habe ein Dienstmädchen angestellt», antwortete Phryne und erzählte Dr. MacMillan alles über Dorothy. «Und ich glaube, ich werde mir ein Flugzeug kaufen. Die neue Avro vielleicht.»

«Ich wollte Sie immer schon fragen, Phryne, was Sie damals dazu gebracht hat, auf meinen Hilferuf wegen der Grippeepidemie zu antworten. Ich war wie vor den Kopf geschlagen, als ich Sie aus diesem Flugzeug klettern sah.»

«Ganz einfach», sagte Phryne und nahm einen Schluck Kaffee. «Als Ihr Anruf kam, befand ich mich auf dem Flugplatz, und außer mir war nur noch ein Mechaniker da. Und zwei Flugzeuge, die beide ziemlich kriegsbeschädigt waren. Im Dorf gab es ein Fest, und alle Männer waren dort hingegangen. Also überredete ich Michael, den Iren, den Propeller der alten Bristol anzuwerfen, und weg war ich. Es schien mir das einzig Richtige zu sein. Und schließlich habe ich Sie dort hingebracht, nicht wahr?»

«O ja, das haben Sie, und sicher noch dazu. Ich hatte in meinem ganzen Leben noch nicht so eine Angst; der Sturm und das Unwetter und der Anblick der sich auftürmenden Wellen, die uns ins Meer zu ziehen drohten. Was für eine Reise! Ich schwöre Ihnen, ich habe graue Haare dabei bekommen. Und Sie blieben völlig ungerührt, selbst als der Kompaß verrückt zu spielen begann.»

«Es hat keinen Sinn, in der Luft in Panik zu geraten», sagte Phryne. «Das wäre unverzeihlich. Und Umkehren hat auch keinen Zweck. Wenn man oben ist, ist man oben, sozusagen.»

«Ja, und wenn man erst mal unten ist, ist man unten. Es ist mir ein Rätsel, wie wir die Insel gefunden haben, und noch mehr, wie wir dort landen konnten.»

«Stimmt, das war ein bißchen kitzlig, denn bei dem Wind und dem Nieselregen war die Sicht nicht die beste, und es gibt dort nur einen langen Strand, auf dem man landen kann, und ich hatte Angst, daß unser Anflug zu schnell sein könnte. Aber ich konnte mich nicht darauf verlassen, den Strand wiederzufinden, und weil es so stürmte, habe ich sie einfach runtergebracht; darum mußten wir so lange am Wasser entlangfahren. Aber die Landung war gut. Wir hatten noch mindestens drei Meter, als wir zum Stehen kamen.»

«Drei Meter» sagte Dr. MacMillan schwach. «Seien Sie doch so lieb und schenken mir noch etwas Kaffee nach.»

«Die eigentlich Mutige bei unserer Spritztour waren Sie», bemerkte Phryne. «Wenn Sie mich nicht so energisch hinter sich hergeschleift hätten, ich hätte um nichts in der Welt in diese Cottages mit all dem Dreck, dem Gestank und den Leichen gehen können. Von diesen Cottages bekomme ich immer noch Alpträume.»

«Katen», berichtete Dr. MacMillan. «Und sie sollten

Ihnen keinen Kummer mehr bereiten. Wie meine Highland-Großmutter immer sagte – und sie hatte die Gabe des Sehens –, es sind nicht die Toten, die du zu fürchten brauchst. Hüte dich vor den Lebenden! Und sie war eine weise Frau. Die Toten, diese armen Geschöpfe, brauchen unsere Hilfe nicht mehr. Aber die Lebenden brauchen uns. Mindestens dreißig Seelen, die sonst inzwischen längst bei den Engeln oder bei den Teufeln wären, leben noch immer auf der Insel und preisen den Herrn. Und wo wir von Mut sprechen, Kleine, wer erklomm den Hügel im heiligen Land des Herrn und führte eines seiner Tiere fort und schlachtete es für die Suppe?»

Phryne, die sich ins Gedächtnis rief, wie aufregend es gewesen war, in Begleitung eines jungen gutaussehenden Jagdgehilfen das Hochlandvieh durch den Nebel und durch die Sümpfe hindurch zu jagen, mußte lachen und stritt jede Tugend ihrer Heldentat ab.

Nach ihrem angenehmen Mittagessen mit Eier-und-Speck-Pastete schlenderte Phryne gutgelaunt zum Windsor zurück.

Sie inspizierte die Hotelhalle, fand einen Band Herodot und nahm ihn mit auf ihre Suite.

Die Zimmer waren nicht wiederzuerkennen. Dorothy war zurückgekehrt und hatte bestimmt gut zwei Stunden Arbeit investiert, die Kleider zusammenzulegen, auf Bügel zu hängen und in den Schrank zu ordnen, Schuhpaare zusammenzusuchen und aufgegangene Säume zu richten. Ein kleiner Berg ordentlich gestopfter Strümpfe hing über der Lehne des einen Wohnzimmerstuhls, und über einem anderen war ein Petticoat drapiert; der lange Riß im Saum, der vom kräftigen Fuß eines ihrer Gefährten herrührte, war zusammengenäht wie eine Wundnaht, so daß der Spalt kaum noch zu sehen war. Phryne ließ sich etwas benommen auf den einzigen noch freien Stuhl fallen. Dorothy kam aus ihrem Schlafzimmer, wo sie sich die Haare gekämmt hatte.

«Hatten Sie ein angenehmes Mittagessen, Miss?»

«Ja, vielen Dank, und du warst ganz offensichtlich emsiger als eine Biene! Wie bist du mit den Visitenkarten zurechtgekommen?»

«Sehr gut, Miss. Und mein Gepäck habe ich auch. Hier ist das restliche Taxigeld.»

«Behalte es, Dorothy, eine Frau sollte immer etwas in Reserve haben. Hast du an dein Mittagessen gedacht?»

«O ja, Miss. Und vor einer Stunde wurde ein Brief für Sie abgegeben», sagte sie und reichte Phryne ein zusammengefaltetes Blatt.

«Vielen Dank, Dorothy. Im Moment brauche ich nichts weiter, du kannst also gern deine Haare weiterbürsten. Du kannst wunderbar stopfen», fügte sie hinzu. «Warum bist du Hausmädchen geworden?»

«Mutter hielt es für das Beste», antwortete Dorothy. «Es ist nicht gut, in der Fabrik oder in einem Laden zu arbeiten.»

«Aha», sagte Phryne. Fabrikarbeit wurde immer noch als etwas Niedriges angesehen.

Phryne faltete die Nachricht auseinander. Auf dem Briefkopf stand in goldenem Kursivdruck, der von ausladender Geschmacklosigkeit zeugte, der Name Cryer und darunter die Adresse, natürlich in Toorak. Auch der Handschrift, einem Gekrakel in rosa Tinte, die die ganze Seite füllte, fehlte es an Stil.

Bitte erweisen Sie uns die Ehre, morgen abend zu unserer kleinen Dinnerparty zu kommen. Melanie Cryer. Rosa Tinte und keine Angaben über die Zeit und die Form der Kleidung: das war kein gutes Omen. Unter dem goldenen Briefkopf war eine Telefonnummer angegeben. Phryne hob den Hörer ab und sprach zur Vermittlung.

«Toorak 325», sagte sie, und dann folgte ein Tuten und einige seltsame klappernde Geräusche. Dann sagte eine Frauenstimme mit einem Akzent: «Bei Cryers. Wer spricht da bitte?»

«Hier ist Phryne Fisher. Ist Mrs. Cryer zu Hause?»

Man hörte eine gedämpfte Piepsstimme, und das Hausmädchen gab die Nachricht offenbar an jemanden weiter, der neben ihr stand, und Phryne hörte, wie ihr der Hörer gewaltsam aus der Hand gerissen wurde. Eine schrille Stimme rief: «Ach, Miss Fisher, wie reizend von Ihnen, mich anzurufen!»

Phryne verabscheute die Stimme augenblicklich, doch antwortete liebenswürdig, bedankte sich für die Einladung und erkundigte sich, um welche Uhrzeit und in welcher Kleidung sie dem Cryerschen Anwesen ihre Aufwartung machen sollte. Sie sollte um acht kommen, und Abendkleidung war gewünscht, «Obwohl Sie uns sicher sehr provinziell finden werden, Miss Fisher!» Phryne widersprach höflich, wozu sie sich ein bißchen durchringen mußte, und legte auf. Wenn das der gesellschaftliche Höhepunkt Melbournes war, würden ihre Nachforschungen ziemlich grauenvoll werden. Sie lehnte sich auf dem Stuhl zurück und wandte sich an ihr Dienstmädchen.

«Dot, ich muß dich etwas fragen, und ich möchte, daß du sorgfältig darüber nachdenkst.» Phryne hielt einen Moment inne und fuhr dann fort: «Hättest du eine bestimmte *Adresse* für mich?»

Dot ließ das Schmuckkästchen, das sie in den Händen hielt, fallen, und Ohrringe verteilten sich über den Teppich.

«Oh, Miss!» brachte sie atemlos hervor. «Hat es Sie ... erwischt?»

«Nein, ich bin nicht schwanger, aber ich suche nach einem Engelmacher. Weißt du jemanden?»

«Nein, Miss», sagte Dorothy steif. «Von so etwas halte ich nichts. Sie sollte ihn heiraten und es bekommen. So eine Operation ist ... gefährlich.»

«Ich weiß, daß es gefährlich ist. Dieser Mann hat beinahe eine Freundin meiner Taxifahrer umgebracht, und ich möchte, daß er aus dem Verkehr gezogen wird. Er muß sich irgendwo in Nähe der Lonsdale Street herumtreiben. Gibt es jemanden, den du fragen könntest?»

«Nun ja, Miss, wenn es so ist, bin ich auf Ihrer Seite. Ich habe eine Freundin, Muriel Miller. Sie arbeitet in der Picklefabrik in Fitzroy. Vielleicht weiß sie jemanden. Nicht alle Mädchen in der Fabrik sind anständig, darum wollte Mutter nicht, daß ich dort arbeite.»

«Gut. Ist deine Freundin Muriel verheiratet? Hat sie Telefon?»

«Nein, Miss, sie wohnt bei ihren Eltern. Ihr Vater hat ein Süßwarengeschäft. Dort gibt es Telefon. Die Nummer weiß ich nicht», sagte Dot zweifelnd, während sie auf allen vieren nach den Ohrringen suchte. Sie fand das letzte Paar, als Phryne das Telefonbuch aufschlug und die Nummer fand.

«Wird sie jetzt wohl zu Hause sein?»

«Wahrscheinlich. Nachmittags hilft sie immer im Geschäft.» Phryne wählte und hielt Dot dann den Hörer hin.

«Mr. Miller? Hier ist Dot Bryant. Kann ich mit Muriel sprechen? Vielen Dank.» Es gab eine Pause, und sie sagte atemlos: «Hallo Muriel? Hier ist Dot ... Ich habe eine neue Stelle und wohne im Windsor! – Ja, es war ein Glücksfall! Ich erzähl dir alles morgen. Ich werde Mutter besuchen, kannst du dann rüberkommen? ... Gut. M-m-muriel, hast du eine *Adresse*? ... Nein, nicht für mich, ich versprech's dir. Für eine Freundin ... Nein. Ich kann's beweisen, gut, kannst du es herausfinden? Gut. Wir sehen uns morgen. Danke, Muriel. Wiedersehen.»

«Sie sagt, daß sie es herausfinden wird, Miss. Ich werde sie morgen treffen. Aber woher wissen wir, daß es der Richtige ist?»

«So viele Engelmacher kann es in Melbourne nicht geben», sagte Phryne grimmig. «Doch wenn es nötig ist, werde ich sie alle anrufen. Jetzt gehe ich zum Abendessen.»

SECHS

Vereint mit dem Tode
erfüllt von der Nacht

Der Triumph der Zeit,
Algernon Swinburne

Am nächsten Morgen nahm Phryne Dorothy zu einem
Einkaufsbummel durch Melbourne mit. Sie fand heraus,
daß die junge Frau, trotz eines Hangs zur Extravaganz, einen
hervorragenden Geschmack besaß. Außerdem zeigte Dorothy sich sehr bemüht, Phrynes Geld zusammenzuhalten, was
diese nach einem ganzen Haufen von Bekanntschaften, die
es mit Feuereifer zum Fenster herausgeworfen hatten, als angenehme Abwechslung empfand.

Zur Mittagszeit hatten sie zwei uniformartige Kleider aus
dunkelblauem Leinen, Strümpfe, Schuhe und einige Mieder
in einem hübschen Champagnerton erworben. Dazu noch
einen Mantel in leuchtendem Azurblau, der garantiert jeden
trüben Wintertag aufhellen würde, und ein prächtig besticktes Nachmittagskleid, das Phryne trotz aller Proteste
Dorothys gekauft hatte, indem sie hartnäckig darauf bestand, daß schöne Kleider die zweitbeste Methode auf der
Welt seien, die Laune einer jungen Frau hochzuhalten.

Phryne hatte bei ihrer Bank ihre Papiere vorgelegt und bei
Madame Olga in der Collins Street ein Konto für den Fall
eröffnet, daß sie die eine oder andere Kleinigkeit in ihren
Bann ziehen würde. In Anbetracht der Melbourner Mode

hatte sie das eher für unwahrscheinlich gehalten, bis sie in Madames luxuriösem Salon Abendkleider anprobierte. Madame, eine hagere, temperamentvolle Frau, für die Mode eine strenge, unnahbare Göttin war, die nach großen Opfern verlangte, bemerkte Phrynes mangelndes Interesse an den ausgestellten Abendkleidern und bellte einer eilfertigen Gottesdienerin ihre Befehle entgegen.

«Holen Sie *cinq à sept*», ordnete sie an.

Die Angestellte kam mit einem Kleidungsstück zurück, das sie ehrerbietig wie ein rohes Ei vor sich her trug und das in dünne weiße Seide eingeschlagen war. Diese wurde in andächtigem Schweigen entfernt. Phryne, die nur mit Hemdhöschen und Strümpfen bekleidet war, wartete ungeduldig darauf, daß die Zeremonie ein Ende fand; sie war überzeugt, daß sich auf ihren oberen Kurven bereits Eiszapfen bildeten.

Madame schüttelte das Kleid aus, warf es über einen Ständer und trat dann zurück, um Phrynes Reaktion mit zurückhaltender Freude zu beobachten. Dorothy schnappte nach Luft, und selbst Phrynes Augen weiteten sich.

Die Farbe des Kleides war ein sattes Bordeauxrot; mit den wenigen Abnähern, durch die sein ganzes Gewicht auf den Schultern lag, handelte es sich eindeutig um eine Kreation von Erté. Das tiefe Dekolleté war kunstvoll von einer mehrreihigen schwarzen Jettperlenkette verdeckt, die dafür sorgte, daß das Kleid nicht von den Schultern seiner Trägerin herabglitt, zugleich aber den erfreulichen Eindruck erweckte, daß genau das jeden Augenblick geschehen könnte.

«Möchten Mademoiselle es anprobieren?» fragte Madame, und Phryne gestattete, daß man ihr das Kleid von oben über den Kopf senkte. Es hatte eine Schleppe, die je-

doch nicht lang genug war, um lästig zu werden, und die Ärmel, die von einem chinesischen Kaisergewand inspiriert
waren, konnte man unten anmutig ineinandergleiten lassen,
so daß sie einen Muff für die Hände bildeten. Der satte
Farbton bildete einen effektvollen Kontrast zu ihrer hellen
Haut und dem schwarzen Haar, und als sie auf und ab ging,
umspielte der fließende Satin zart ihre Glieder und model-
lierte sie, als wäre sie in Aspik gegossen. Das Kleid war vollkommen gesellschaftsfähig und dennoch außerordentlich
erotisch, und Phryne wußte, daß sie es besitzen mußte.

«Ich habe es noch niemandem in Melbourne gezeigt», bemerkte Madame mit stiller Befriedigung. «Keine Dame der
Melbourner Gesellschaft könnte es mit genügend Noncha-
lance tragen. Mademoiselle besitzt Stil, deshalb ist das Kleid
wie für Mademoiselle gemacht.»

«Das ist es», bekräftigte Phryne und akzeptierte, ohne
mit der Wimper zu zucken, einen Preis, der Dorothy nach
Luft schnappen ließ. Dies war das Kleid der Saison, dachte
Phryne, und es würde sowohl bei den Cryers wie auch in
ganz Melbourne genau den richtigen Eindruck hinterlassen.
Sie erwähnte die Cryers gegenüber Madame, die zusam-
menzuckte.

«Madame Cryer hat viel Geld», sagte sie, «und auch ich
muß leben; *que voulez-vous*! Aber sie hat einen scheußlichen Geschmack; *des parvenues*», schloß sie und zuckte mit
den Achseln. «Möchten Mademoiselle das Kleid in Ihr Hotel geliefert haben?»

«Ich bitte darum. Ich wohne im Windsor», sagte Phryne.
«Und nun muß ich mich leider losreißen, Madame; aber
seien Sie versichert, ich werde wiederkommen.»

Sie überlegte, ob sie Madame, die anscheinend gut informiert war, nach Lydia, dem Gegenstand ihrer Ermittlungen fragen sollte, doch sie entschied sich dagegen. In Europa waren die Modehäuser die Hauptquelle für allen Klatsch der Welt, und sie hatte allen Grund anzunehmen, daß es sich in Melbourne, das kleiner und intimer war, genauso verhielt.

Dorothy und Phryne nahmen in der Block Arcade ein leichtes Mittagessen ein und sprachen bei einer Agentur für Hausangestellte vor, um sich nach dem angemessenen Lohn für eine Kammerzofe zu erkundigen. Dorothy erfuhr mit Staunen, daß sie mindestens ein Pfund pro Woche verdienen sollte, zusätzlich Dienstkleidung, Verpflegung und Wäsche, und sie war vollends perplex, als Phryne ohne Federlesens die Summe auf zwei Pfund die Woche verdoppelte und die gesamte Kleidung obendrauf gab. Dorothy eilte zu ihrer Mutter, um ihr von ihrer neuen Lebenssituation zu berichten, während Phryne einen Elizabeth-Arden-Schönheitssalon in der Collins Street aufsuchte. Dort verbrachte sie mehrere genußvolle Stunden, ließ sich massieren, mit heißen Tüchern behandeln, die Haare pomadisieren und hielt die Ohren nach Klatsch offen. Sie hörte nichts Nützliches, außer der interessanten Bemerkung, daß Kokain zur bevorzugten Droge der zügellosen Reichen geworden war.

Sie verließ in frischem Glanz erstrahlt den Salon, nachdem sie sich mehrere Angestellte vom Leib gehalten hatte, die ihr die verschiedensten Wässerchen und Schönheitsprodukte aufschwatzen wollten, die sie, ihrer Meinung nach, unbedingt benötigte. Sie kehrte forschen Schrittes ins Hotel zurück und schlief drei Stunden lang. Dann war Dorothy zurück und packte das Erté-Kleid mit der angemessenen Vorsicht aus.

«Was hat deine Mutter gesagt?» erkundigte sich Phryne, während sie sich gerade hinsetzte und von ihrem Tee trank. «Hast du beim Aufräumen meine Jettohrringe gefunden, Dorothy?»

«Ja, Miss, sie lagen ganz unten in einem der Schrankkoffer. Mum sagte, daß Sie sich eher weltlich gesinnt anhören, aber als ich ihr erzählt habe, daß Sie Sonntag in der Kathedrale zum Gottesdienst waren, meinte sie, daß Sie in Ordnung sind, und das denke ich auch. Hier sind die Ohrringe.»

«Danke. Ich brauche die schwarzen Seidenstrümpfe, das schwarze Hemdhöschen und die schwarzen Pumps aus Glanzziegenleder, und sonst nur noch einen Tropfen le Fruit Deféndu. Sei bitte so lieb und rufe bei der Rezeption an und bestell ein Taxi zum Haus der Cryers, ja, Dot? Stört es dich, wenn ich dich Dot nenne?»

«Nein, Miss, alle meine Schwestern nennen mich so.»

«Schön», sagte Phryne, stieg aus dem Bett und reckte sich. Auf dem Weg ins Badezimmer ließ sie ihren Männermorgenmantel fallen. «Ich habe vor, in diesem Kleid ganz Melbourne zu beeindrucken.»

«Ja, Miss», stimmte Dorothy zu, während sie den Hörer abnahm. Sie hatte sich noch nicht ans Telefon gewöhnen können, aber immerhin betrachtete sie es nicht länger als einen Apparat, der einen durch Stromschläge hinrichten konnte. Sie gab einigermaßen knapp ihre Anweisungen und stöberte dann gründlich nach der Unterwäsche, die Phryne unter dem phantastischen Kleid tragen wollte.

Eine Stunde später betrachtete sich Phryne mit goßer Befriedigung im Spiegel. Der Satin umfloß sie wie Honig, und über dem extravagant wogenden Kleid erhob sich geschmeidig und erhaben ihr zarter Kopf. Mit den roten Lippen, den dunklen Augen und den Augenbrauen, die so schmal waren, daß sie wie gemeißelt aussahen, war sie so fein geschminkt wie eine Chinesin. Die schwarzen Ohrringe, die länger waren als ihr kunstvoller dunkler Bubikopf, der von einem silbernen Haarband zusammengehalten wurde, strichen über den Pelz. Über das Ensemble warf sie sich ein weites, tiefschwarzes Abendcape aus Veloursamt und nahm eine schlichte Samttasche, die wie ein Beutel geformt war. Nach kurzem Überlegen steckte sie eine kleine Pistole sowie ein Taschentuch, Zigaretten und ein dickes Bündel Geldscheine hinein. Phryne war noch nicht genug an den Reichtum gewöhnt, um sich auch ohne die Sicherheit von Geld gegen Katastrophen gewappnet zu sehen.

Von einer sorgsamen Dorothy begleitet schritt sie die Treppe hinunter. Der Portier half der reizenden Aristokratin in das wartende Taxi und strich, ohne eine Miene zu verziehen, ein fürstliches Trinkgeld ein. Dann sahen er und Dorothy gemeinsam zu, wie sie in ihrer ganzen Pracht davonfuhr.

«Ist sie nicht wunderschön?» fragte Dorothy seufzend, worauf der Portier ihr beipflichtete und bei sich dachte, daß der Geschmack der Adligen nun doch nicht so merkwürdig war. In der Tat, auch Dorothy in ihrer neuen Dienstmädchenuniform und den neuen Schuhen war ein sehr gefälliger Anblick. Dot faßte sich wieder, errötete und ging zurück auf Phrynes Zimmer, um der Tanzmusik aus dem Radio zu lauschen und dabei weiter Strümpfe zu stopfen. Für gewöhnlich kaufte Phryne neue, sobald die alten ein Loch bekamen, doch diese Extravaganz erschütterte Dorothy zutiefst.

Phryne lehnte sich zurück und zündete sich eine Zigarette an. Sie rauchte schwarze russische Zigarillos mit einer blattgoldenen Zigarettenspitze; das war nicht so genußvoll wie einfache Glimmstengel, aber um elegant zu erscheinen, mußte man Opfer bringen.

«Fahren Sie oft zu den Cryers?» fragte sie den Fahrer.

«Ja, Miss», sagte er, erfreut darüber, daß jemand, der aussah wie eine Modepuppe, tatsächlich sprechen konnte.

«Sie ham oft solche Feste, Miss, und meistens fahr ich die Leute hin, weil Ted 'n Freund von mir is.»

«Ted?»

«Ja, der Portier vom Windsor. Wir warn zusammen an der Somme, ja. Guter Kerl.»

«Oh», sagte Phryne. Da alle anderen auf ihrer Schule vom Kriegsfieber geradezu besessen waren, war Phryne vom Weltkrieg so angeekelt gewesen, daß sie es vermied, daran zu denken. Sie hatte zum letzten Mal geweint, als sie tränenüberströmt über Wilfried Owens Gedichten saß. Sie wollte das Thema wechseln.

«Wie sind denn die Cryers so? Ich bin aus England zu Besuch, wissen Sie.»

Sie sah, daß sich die Augen des Taxifahrers verengten, während er überlegte, was er dieser Frau, die zurückgelehnt auf dem Rücksitz saß und sein Taxi mit fremdländisch duftendem Qualm erfüllte, ohne Risiko erzählen könnte. Phryne mußte lachen.

«Ich werd's nicht weitersagen», versprach sie, und der Fahrer schien ihr zu glauben. Er atmete tief durch.

«Richtig miese Ratten», sagte er.

«Ich verstehe», sagte Phryne. «Sehr aufschlußreich.»

«Genau, und wenn sie rauskriegen würden, daß ich das gesagt habe, fahr ich in ganz Melbourne nie wieder 'n Taxi. Ich verlaß mich also auf Sie, Miss.»

«Das können Sie», versicherte Phryne und drückte ihren Zigarillo aus. «Sind wir da?»

«Ja», sagte der Fahrer.

Phryne betrachtete die zuckergußähnliche Vorderfront des riesigen Hauses, den roten Teppich, die Blumen und die Garnison von Dienern, die zum Empfang der Gäste bereitstanden, und wand sich innerlich. Was für ein Pomp, während die Arbeiter bis jenseits des Erträglichen ausgehungert wurden. Das war weder klug noch geschmackvoll, sondern reine Geldprotzerei. Das Europa, das Phryne vor kurzem verlassen hatte, war verarmt, selbst die Adeligen, und der ganze Kontinent stand gesenkten Hauptes und war noch wie gelähmt von der russischen Revolution. Mittlerweile war es modern geworden, auf Pomp zu verzichten, wer Stil hatte, übte sich in Understatement.

Phryne bezahlte das Taxi, stieg ohne ihr Kleid zu beschädigen aus und ließ sich von zwei Lakaien zum Vordereingang des Cryerschen Anwesens geleiten. Sie holte tief Luft, rauschte hinein und übergab ihren Samtumhang einem Zimmermädchen in der Damengarderobe. Die Wände waren ganz mit Seidenvorhängen verkleidet, die so geschmacklos gemustert waren, daß es einem in den Augen weh tat, doch Phryne ließ sich nichts anmerken. Sie gab dem Zimmermädchen ein Trinkgeld, rückte jede herrliche Falte ihres Kleides zurecht, schüttelte in dem hohen Standspiegel den Kopf über diesen Anblick und machte sich bereit, die Gastgeberin zu begrüßen.

Die Empfangshalle war in einem gedämpften Grün gestrichen, wodurch ungeschickterweise jedes Gesicht mit einem totenähnlichen Schimmer überzogen wurde. Phryne nannte ihren Namen und machte sich auf alles gefaßt. Sie war überzeugt, daß Madame Cryer ein Mensch war, der alle Welt umarmte.

Dann hörte sie auch schon Schritte, und eine skelettartige, mit Diamanten behängte Frau in Schwarz stürzte sich auf Phryne, die es gelassen über sich ergehen ließ, daß ihre Frisur in Unordnung gebracht und sich ihr mehrere Diamanten schmerzhaft in beide Wangen drückten. Mrs. Cryer roch stark nach Chanel und war so dünn, daß Phryne sich wunderte, daß sie sich mit den wohl spitzesten Hüftknochen und Schulterblättern von ganz Melbourne nicht sämtliche Kleidernähte aufschlitzte. In ihrer Gegenwart überkam Phryne das seltsame Gefühl, übertrieben gesund und robust zu sein.

Sie ließ sich von den knochigen Händen, an denen eine Last kostbarer Juwelen funkelte, in den riesengroßen, hell erleuchteten Ballsaal führen, der eine Kuppel hatte und voller Menschen war. An einer Wand entlang war ein langes Buffet aufgebaut worden, und eine Jazzkapelle nahm wie zur Zeit üblich ihre Attacken auf die Musikgeschichte und ihre fünf Notenlinien auf. Überall befanden sich verschwenderisch teure, bereits verblühende Tuberosen und Orchideen, die der Hitze einen schweren und exotischen Duft hinzufügten. Das Resultat war einigermaßen tropisch, protzig und vulgär. Mrs. Cryer erklärte, daß sie Phryne zum Essen neben Mr. Sanderson, den Abgeordneten, gesetzt hatte, da ihr zu Ohren gekommen war, daß sie sich bereits kennengelernt hatten, was Phryne die wohltuende Gewißheit gab, daß es in dieser Versammlung der Vordergründigkeiten auch einen Menschen aus Fleisch und Blut gab. Dann ließ ihre Gastgeberin einen Namen fallen, der Phryne zu einem stillen Lächeln veranlaßte.

«Vielleicht kennen Sie den Honourable Robert Matthews», rief Mrs. Cryer schrill. «Wir alle mögen Bobby sehr! Er wird für die Gentlemen beim Cricketmatch spielen. Ich bin sicher, sie werden sich furchtbar gut verstehen.»

Phryne, die der Grund gewesen war, daß man Bobby zu diesen fernen Ufern verbannt hatte, war sich ganz und gar sicher, daß sie sich nicht furchtbar gut mit ihm verstehen würde, und noch viel sicherer, daß dieser junge Mann kein Honourable gewesen war, als sie ihn das letzte Mal gesehen hatte. Genau an diesem Punkt der Rede ihrer Gastgeberin erlangte sie quer durch den Saal die Aufmerksamkeit dieses Herren, und er warf ihr einen Blick zu, in dem Flehen und Wut so gekonnt miteinander verschmolzen, daß Phryne erstaunt war, daß ihre Haare nicht Feuer fingen. Sie lächelte ihm liebenswürdig zu, und er wandte den Blick ab. Mrs. Cryer, der ihr Blick entgangen war, zog Phryne mit sich durch den Saal, dessen gebohnerter Fußboden spiegelglatt war, um sie ihren Künstlergästen vorzuführen.

«Wir hatten das Glück, die Princesse de Grasse einzufangen», sagte Mrs. Cryers abseits, aber viel zu laut. «Sie unterstützt die ersten Tänzer und Tänzerinnen der *Compagnie des Ballets Masque* – sie sind diese Saison der letzte Schrei, haben Sie sie schon tanzen gesehen?»

Phryne schloß zu ihrer Gastgeberin auf und schaffte es, ihre Hand zu befreien.

«Ja, letztes Jahr, in Paris», sagte sie und dachte an den seltsam grausigen Zauber der Tänzer zurück, mit dem sie im abgeblätterten Glanz der alten Oper ein *ballet masque* aufgeführt hatten. Sie hatten das alte Mysterienspiel vom Tod und dem Mädchen getanzt, und es hatte etwas Ursprüngliches und Beängstigendes darin gelegen. Ganz Paris war gebannt gewesen, doch die *Compagnie des Ballets Masque* war so schnell verschwunden, wie sie zum Stadtgespräch geworden waren. Nach Australien waren sie also gekommen! Phryne überlegte, wieso. Sie verlangsamte ihren Schritt, lächelte im Vorbeigehen Mr. Sanderson, dem Abgeordneten, zu, der sie im Gegenzug verschwörerisch angrinste. Die Künstler hatten sich geschlossen am Buffet versammelt und hörten erst zu essen auf, als Mrs. Cryer sie bei der Hand nahm.

«Princesse, darf ich Ihnen Honourable Phryne Fisher vorstellen? Miss Fisher, das ist die Princesse de Grasse, sowie Mademoiselle … äh –»

«De Lisse, und das ist mein Bruder Sascha», warf die junge Frau ein. Sie und ihr Bruder, offensichtlich Zwillinge, waren groß gewachsen, langbeinig und grazil, und ihre Gesichter waren einander verblüffend ähnlich: bleich, elegant, mit hohen Wangenknochen und ausdrucksstarken braunen Augen. Beide hatten identisch geschnittenes, lockiges braunes Haar und trugen ein zweiteiliges pechschwarzes Trikot. Sascha küßte ihr mit einer eleganten Verbeugung die Hand und sagte: «Mademosielle ist *magnifique.*»

Phryne stimmte ihm insgeheim zu. Niemand unter den Anwesenden konnte ihr in Stil und Eleganz das Wasser reichen, außer diesen beiden Tänzern, deren schlichte Kleidung die natürliche Schönheit ihrer Körper hervorhob. Die Princesse de Grasse, an deren Adelstitel Phryne gehörige Zweifel hegte, war eine kleine, verschrumpelte Russin, die ein flammendrotes Abendkleid und ein sündhaft langes Zobelcape trug. Sie legte eine kühle Hand auf Phrynes Handgelenk und lächelte sie boshaft an, was sie so bedeutsam tat, daß sie damit gleichermaßen ihre Gastgeberin, den Saal, das

Essen, die Unrechtmäßigkeit ihres Titels und ihre ungeteilte Anerkennung von Phrynes Person meinen konnte, ohne daß sie ein Wort sagen mußte. Phryne antwortete ihr mit einem zunehmend breiter werdenden Lächeln und drückte ihre schmale Hand.

«Ich kann den Umhang nicht abnehmen», flüsterte die Prinzessin Phryne ins Ohr, «mein Kleid hat kein Rückenteil. Sie müssen mich unbedingt besuchen. Sie sind der erste Mensch an diesem gottverlorenen Ort, der interessant aussieht.»

«Das werde ich», versicherte Phryne. Zu mehr hatte sie keine Zeit, denn ihre Gastgeberin wartete mit offenkundiger Ungeduld darauf, sie dem einen oder anderen Emporkömmling vorzuführen. Phryne folgte ihr friedlich und erhobenen Hauptes und amüsierte sich heimlich über Mrs. Cryer. Die Dame ließ sich über gesellschaftstheoretische Fragen aus, ein Thema, von dem sie keine Ahnung hatte.

«All diese furchtbaren Kommunisten», jammerte sie. «Natürlich, ich habe nichts zu befürchten. Alle meine Dienstboten lieben mich», erklärte sie. Phryne schwieg.

Gesichter und Hände – der Abend war voll davon. Phryne schüttelte so viele Hände und nickte und lächelte so vielen Menschen zu, daß sie schon nicht mehr unterscheiden konnte. Langsam war sie erschöpft und sehnte sich danach, sich zu setzen, einen starken Cocktail zu trinken und eine Zigarette zu rauchen, als sie plötzlich wieder munter wurde.

«Das sind Lydia Andrews und ihr Gatte John», sagte Mrs. Cryer gerade, und Phryne horchte auf und musterte ihren Fall.

Lydia Andrews war gut gekleidet und von einem Könner zurechtgemacht worden, doch sie wirkte so schlaff und leblos, daß sie eine Puppe hätte sein können. Sie hatte duftiges blondes Haar, und über ihrer Stirn wand sich kindisch eine Straußenfeder. Sie trug ein wunderschönes altrosa Abendkleid, das mit Perlen bestickt war, und dazu eine lange rosa Perlenkette, die ihr bis ans Knie reichte.

Es war einzig der flüchtige, scharfe und durchdringende Blick, den sie Phryne zusandte, der irgendwie an die Frau aus den Briefen erinnerte. Diese junge Frau konnte nicht so träge sein, wie sie erschien, nicht bei der Regheit, mit der sie Informationen über einen habgierigen Buchhalter gesammelt hatte. Phryne war auf der Hut. Wenn das der Eindruck war, den Lydia zu erwecken versuchte, war es dann an ihr, sich einzumischen?

Lydia wirkte tief gelangweilt und apathisch und strahlte eine starkes Verlangen aus, sich von diesem Ort zu entfernen, was Phryne merkwürdig vorkam. Das hier war angeblich das gesellschaftliche Ereignis der Saison. Hinter ihr rückte ihr Ehemann näher, ein korpulenter junger Mann, dessen Leibesfülle seinen gutgeschneiderten Abendanzug arg strapazierte. Er hatte schütteres dunkles Haar, das an der Haarkrone auszufallen begann, und einen festen, unangenehm warmen und feuchten Händedruck. Seine Augen hatten eine wäßrige Farbe, eine Eigenschaft, die Phryne immer mißtrauisch werden ließ, und er drängte seine Frau mit einem versteckten, aber schmerzhaften Zwicken in den Oberarm voran. Selbst darauf schien sie nicht besonders zu reagieren, obwohl sich ein Ausdruck von überraschendem Schmerz in ihre porzellanblauen Augen stahl. Phryne fand beide auf den ersten Blick unsympathisch, besonders John Andrews, in dem sie einen Haustyrann vermutete. Doch das machte noch keinen Giftmischer aus ihm.

Nachdem sie allen vorgestellt worden war und sich von ihrer Gastgeberin befreit hatte, schob sie, in pflichtbewußter Erfüllung ihres Auftrags, ihre persönlichen Vorlieben für Sanderson und die Tänzer beiseite und begann, sich ganz Lydia Andrews zu widmen.

Es erwies sich als schwierig, Lydia von ihrem Mann loszueisen, an dem sie so hartnäckig klebte wie eine Napfschnecke an einem Ozeandampfer, die weiß, daß sie dort sowohl unerwünscht als auch in Gefahr ist. John Andrews befreite schließlich nicht gerade zartfühlend seinen Arm von der Hand, die ihn umklammert hielt, und sagte brüsk: «Sei ein gutes Mädchen und unterhalte dich mit Miss Fisher. Ich möchte mich mit Matthews unterhalten, und den kannst du sowieso nicht leiden!» Dann ließ er sie stehen, ohne sich um ihren kleinen schmerzerfüllten Ausruf zu kümmern. Diese Beziehung hatte in der Tat etwas sehr Seltsames an sich, dachte Phryne und belegte Lydias Hand und so viel ihrer schwindenden Aufmerksamkeit mit Beschlag, wie sie konnte.

«John hat recht. Ich mag diesen Matthews nicht», sagte sie unvermittelt. Ihre Stimme klang störrisch und ausdruckslos. «Ich weiß, er hat reiche Verwandte in England, aber ich kann ihn nicht leiden, und ich möchte nicht, daß John Geschäfte mit ihm macht. Es ist mir gleich, wie umwerfend sein Charme ist.»

Dem hatte Phryne nichts entgegenzusetzen, doch konnte sie klar sehen, daß die hartnäckige Wiederholung dieser Worte über Wochen selbst den gutherzigsten Mann dazu bringen konnte, die gewohnte Zuvorkommenheit zu verlieren. Sie bezweifelte, daß John Andrews im Besitz alltäglicher guter Manieren war, da er sich bevorzugt von der Seite gab: Ich bin ein einfacher Mann, und ich verachte diejenigen, die mit goldenen Löffeln auf die Welt gekommen sind, weil sich ihre Pioniersiedlervorfahren über Generationen fremdes Land unter den Nagel gerissen haben.

Phryne sichtete einige freie Stühle und brachte Lydia dazu, sich zu setzen, wobei sie auf dem Weg von einem aufmerksamen Kellner noch zwei Cocktails einsammelte. Ihre Füße sehnten sich danach zu tanzen. Tanzen war eine ihrer größten Qualitäten, und als Partner hatte sie sich Sascha auserkoren. Augenblicklich tanzte er gerade mit der Gastgeberin, die sich mit der Steifheit eines antiquierten Museumsstücks bewegte, aber er brachte es trotzdem zuwege, eine eindrucksvolle Vorstellung abzugeben. «Was hat Sie dazu gebracht, hierherzukommen, Mrs. Andrews? Sie scheinen sich nicht zu amüsieren.»

Lydias Augen bekamen einen erschreckten Ausdruck. Sie klammerte sich an Phryne fest, die ihrem Drang nachgab und sich ebenso ungalant von ihr befreite, wie John Andrews es zuvor getan hatte, für diesen Abend hatten zu viele Menschen sie mit Beschlag belegt.

«Nein, nein, alles ist sicher ganz wunderbar; ich fühle mich nicht sehr gut, aber ich versichere Ihnen, ich bin gerne hier.»

«Ja?» sagte Phryne höflich. «Ich nicht. Ziemliches Gedränge, finden Sie nicht? Und so viele Menschen, die ich nicht kenne.»

«Oh, aber alle sind sie hier – das ist der gesellschaftliche Höhepunkt der Saison», plapperte sie wie ein Papagei. «Selbst die Princesse de Grasse. Ist sie nicht faszinierend? Aber auch beunruhigend. Diese strahlenden Augen. Und ich habe gehört, sie sei sehr arm. Sie entkam der Revolution nur in den Kleidern, die sie am Leibe trug. Seit die *Compagnie des Ballets Masque* hierhergekommen ist, hat jeder sie eingeladen, aber sie haben immer abgelehnt – die Prinzessin hat sie hergebracht, Mrs. Cryer schuldet ihr also einen Gefallen. Sie werden später für uns tanzen.»

Phryne war schockiert. Das gehörte sich nicht. Zwar lud man Künstler zu gesellschaftlichen Ereignissen ein, aber nur, um das Vergnügen ihrer Gesellschaft zu haben. Sänger und Tänzer einzuladen und sie für ihr Abendessen auftreten zu lassen, war unbeschreiblich vulgär und verdiente unverzüglich aufs schärfste getadelt zu werden. Phryne fragte sich, ob die Prinzessin das tun würde und ob sie selbst das Vergnügen haben würde, dabei Zeuge zu werden.

«Ja, das gehört sich nicht», pflichtete Lydia bei, die Phrynes Gedanken erraten hatte. «Zu Hause würde das niemand tun, aber hier stehen die Dinge anders.»

«Gutes Benehmen ist auf der ganzen Welt das gleiche», sagte Phryne und nippte an ihrem Cocktail, der erfreulich stark war. «Das hätte sie nicht tun dürfen. Doch egal, ich werde ihnen mit Entzücken zusehen. Ich habe sie in Paris gesehen, und sie waren auf seltsame Weise faszinierend. Sie tanzten den Tod und das Mädchen, haben sie das hier auch gemacht?»

«Ja», sagte Lydia, und eine Spur von Leben zog über ihr Gesicht. «Es war sehr merkwürdig, voller versteckter Andeutungen, die ich nicht verstanden habe, und die Musik war komisch – fast falsch, aber auch nicht richtig.»

«Ich weiß, was Sie meinen», sagte Phryne und rief sich ins Gedächtnis, daß Lydia nicht so grenzenlos einfältig war, wie sie vorgab. Sie bot ihr eine Zigarette an und zündete sich selbst eine neue an. Die Tänzer hatten ihren Foxtrott beendet, und Sascha bewegte sich auf Phryne zu. Lydia preßte sich eng an sie.

«Ich mag Sie», sagte sie mit vertrauensseliger Kleinmädchenstimme. «Und jetzt nimmt der junge Russe Sie mir gleich fort. Kommen Sie doch morgen zu Mittag zu mir, ja?»

Das kleine gepuderte Gesichtchen sah mit einem Schmollmund zu ihr hoch. Sie spürte, wie sich ihr plötzlich der Magen umdrehte. Sie hatte schon des öfteren Frauen getroffen, die aus solchem Holz geschnitzt waren – die Kletten, die zart und überaus rücksichtslos waren, und eine Freundin nach der anderen mit ihren emotionalen Ansprüchen fix und fertig machten, die immer kränkelten und erschöpft waren und sich schlecht behandelt fühlten, aber immer noch genügend Kraft übrig hatten, um der Freundin, die gerade voller Schuldgefühle aus dem Haus floh, ihre Vorhaltungen hinterherzuschreien. Und dann diese Freundin – es waren immer nur Freundinnen – durch eine neue zu ersetzen. Phryne erkannte in Mrs. Andrews eine Gefühlsfalle, doch sie hatte keine andere Wahl, als sich einfangen zu lassen.

«Sehr erfreut», sagte sie unverzüglich. «Um welche Uhrzeit?»

«Um ein Uhr», sagte Lydia seufzend, als der junge Russe aus einem Menschenmeer so geschmeidig wie ein Otter auftauchte und berückend lächelte. Er nahm Phrynes Hand, küßte sie ausdauernder, als es der Anstand gebot und machte eine Geste zur Tanzfläche hin. Die Kapelle versuchte sich an einem Tango, wobei sie, um modern zu klingen, schauderhafte atonale Quietscher hinzufügte, und Phryne lächelte ihren Begleiter an. Den Tango hatte ihr in Paris der

allerteuerste Gigolo der *Rue du Chat-qui-Pêche* beigebracht, und sie hatte bis jetzt noch nicht die Gelegenheit gehabt, ihn in kultivierten Kreisen zu tanzen. Als er sie hinaus
auf die Tanzfläche führte, sorgten sie für allgemeines Aufsehen; beide waren sie schlank und wiesen klare Linien auf,
und der junge Mann war so schlicht gekleidet, daß er hätte
nackt sein können.

Als sie zu tanzen anfingen, hielt der ganze Saal inne, um
ihnen zuzusehen, so flüssig waren ihre Bewegungen, so auf-
geladen die symbolhaft angedeuteten Zärtlichkeiten. Sascha
glitt, bewegte und drehte sich mit der schwerelosen Anmut,
die man von einem Tänzer erwartet, aber es war mehr in seinem Tanz als bloße Übung. Die für sinnliche Eindrücke
empfänglichen Damen des Publikums fühlten sich an einen
Panther erinnert; und eines der Serviermädchen, die vor
ihrer Brust einen Silberlöffel umklammerte, flüsterte ihrem
Nachbarn, einem Kellner zu: «Aah, er ist wie Valentino!»

Der Kellner ließ sich von Sascha nicht beeindrucken, aber
Phryne, deren Satin und Pelz beim Tanz geschmeidig vor
und zurück schwangen, hatte es ihm sehr angetan. Sie
schaffte es, die Anmut einer Königin mit der Eleganz einer
Dame der Halbwelt zu verbinden, und er hatte seinen Leb-
tag noch niemanden wie sie gesehen.

«Ach, wenn ich sie bloß haben könnte», raunte er, und
das Serviermädchen schlug ihn kräftig mit dem Löffel.

Mit Sascha zu tanzen, entschied Phryne, war fast genauso
aufregend wie bei stürmischem Wetter einen Looping in
einem neuen Flugzeug zu machen. Er war anmutig, und unter dem Trikot, das sich anschmiegte wie eine zweite Haut,
konnte sie das Spiel seiner Muskeln spüren; er reagierte ein-
fühlsam auf jede ihrer Bewegungen, doch führte er sie mit

Entschiedenheit. Sie hatte keine Furcht, daß er sie fallen lassen würde, und er duftete lieblich nach russischer Lederseife und nach Mann. Sie war aufgewühlt, doch konnte sie es sich nicht leisten, sich in ihn zu verlieben. Geduldig mahnte sie sich selbst, daß sie nicht in ihn vernarrt war, sondern sich nur gefühlsmäßig zu einem Menschen hingezogen fühlte, der sympathisch, anmutig und ein ausgezeichneter Tänzer war, als sie beide im gleichen Moment anhielten und sich zu dem Applaus, der überall um sie herum ausbrach, verbeugten.

Sascha hielt ihre Hand und wollte sie zu einer weiteren Verbeugung ziehen. Phryne kam zu sich, widerstand seinem Drängen und löste, nicht ohne innere Qualen, ihre Hand aus der seinen. Als die Band zu einem Foxtrott ansetzte, faßte sie Sascha sanft bei den Schultern, und dann sprach er zum ersten Mal.

«Sie tanzen sehr gut», bemerkte er. «Ich habe sie schon einmal tanzen gesehen.»

«Ja?» fragte Phryne und widerstand dem Drang, sich in seine Arme zu begeben.

«Ja, in der *Rue du Chat-qui-Pêche*», fuhr er fort, «mit Georges Santin.»

«Das stimmt», sagte Phryne und überlegte, ob er wohl versuchte, sie zu erpressen. «Georges hat mir Tango beigebracht, und das hat mich eine schöne Stange Geld gekostet, das kann ich Ihnen sagen. Auch ich habe Sie in Paris gesehen, mit der *Compagnie des Ballets Masques*, in der alten Oper. Warum sind Sie so plötzlich abgereist?» erkundigte sie sich unverblümt.

Wenn diese kleine Schlange darauf aus war, ihr kompromittierende Fragen zu stellen, dann würde er zu spüren bekommen, das sie ein ganzes Arsenal davon auf Lager hatte.

«Das ... das war ratsam», sagte Sascha, und stolperte, fing sich jedoch sofort wieder. Er sprach Französisch, das er fließend, aber mit starkem russischen Akzent beherrschte. Phrynes Französisch war bestes Pariserisch, doch während ihrer Zeit an der Rive Gauche hatte sie eine Menge unanständige Redewendungen aus der Unterwelt aufgeschnappt, die sie mit erschreckender Offenheit benutzte.

«Ich finde dich sehr attraktiv, mein schöner Junge, aber ich lasse mich nicht erpressen.»

«Die Prinzessin sagte schon, daß es nicht klappen würde», gab Sascha zerknirscht zurück. «Ich hätte mich ihrer Weisheit fügen sollen, aber ich tat es nicht, und sehen Sie, als was für ein Narr ich jetzt dastehe? Wunderschöne, reizende Lady, verzeihen Sie ihrem ergebensten Diener!»

«Bevor ich Ihnen verzeihe, müssen Sie mir sagen, worauf Sie aus waren», sagte Phryne.

Sascha hielt bebend inne und führte sie dann zu der alten Prinzessin, die auf einem goldfarbenen Metallstuhl saß, russischen Kaviar aß und wie ein alter Papagei auf einer Veranda mit boshaftem Blick die Tänzer beobachtete. Sie betrachtete Sascha und Phryne und gackerte.

«*Et puis, mon petit*», lachte sie meckernd. «Beim nächsten Mal wirst du auf mich hören. Ich täusche mich nie – niemals. Das liegt in der Familie, mein Vater sagte zum Zaren, er solle Rasputin aufsuchen anstatt den Krieg zu erklären, aber er tat es dennoch und hat ein schreckliches Ende genommen. Genau wie das arme Rußland. Und wie ich, wenn ich's mir recht überlege. Und du, du törichter Junge. Spricht Mademoiselle noch mit dir, Unwürdiger? Ich habe dir gesagt, sie läßt sich nicht unter Druck setzen! Hättest du hingegen die Reize ausgespielt, mit denen Gott dich aus mir unerfindlichen Gründen ausgestattet hat, dann würde sie nun in deinen Armen ruhen und dir jeden deiner Wünsche von den Lippen ablesen!»

Phryne, die beobachtete, daß ihr Tanzpartner vollends geläutert war und nicht genau wußte, wie sie darauf reagieren sollte, verlangte nach einem Cocktail und nach ein wenig vom russischen Kaviar der Prinzessin und entschloß sich, so lange zu warten, bis sich die Aufmerksamkeit der Prinzessin von dem vom Pech verfolgten Sascha abgewandt hatte und sie ihr eine Erklärung gab.

«Vielleicht tue ich es trotzdem noch – in diesen Armen ließe sich sehr angenehm ruhen», stimmte sie gelassen zu. «Doch ich brauche mehr Informationen. Was wollen Sie? Geld?»

«Nicht ganz», sagte die alte Frau. «Wie haben etwas zu erledigen, und wir glauben, daß Sie uns dabei behilflich sein können. Sie versuchen etwas über die merkwürdige Krankheit dieser Dame in Rosa herauszubekommen, nicht wahr? Oberst Harper – er ist ein alter Freund von mir.»

«Bevor Sie sich nicht revanchiert haben, kann ich Ihnen leider nichts sagen», wich Phryne zwischen zwei Löffeln des ausgezeichneten Kaviars aus. Die alte Frau gackerte wieder.

«*Bon.* Sie denken an Schnee, nicht?»

«Kokain?» fragte Phryne und war innerlich von dieser Frage überrascht. Es war ihr noch gar nicht in den Sinn gekommen, daß Lydia drogenabhängig sein könnte.

«Wir sind von Paris hierhergekommen, um dem Handel auf die Spur zu kommen», verkündete die alte Frau ruhig. «Wir jagen den König dieses Geschäfts. Wir glauben, daß er hier ist – und Sie werden uns helfen, ihn zu finden. Sie billigen doch wohl keine Drogen?»

Phryne dachte an die ausgezehrten Kokainsüchtigen zurück, wie sie sich unter Zuckungen übergaben und sich auf
ein frühes Ende zubewegten, das in seinen Qualen nicht einmal von der Inquisition übertroffen wurde, und schüttelte
den Kopf. Sie traute ihrer Gesprächspartnerin nicht, und sie
hatte Mühe, etwas von alldem zu glauben, was sie gerade
hörte, doch schienen alle beide es ernst zu meinen.

«Handelt es sich um eine private Rachefehde?»

«Aber ja», sagte die Prinzessin. «Natürlich. Meine Tochter ist daran zugrunde gegangen. Sie war die Mutter der beiden.»

«Was soll ich für Sie tun?» fragte Phryne.

«Sagen Sie uns, wenn Sie etwas herausfinden. Und kommen Sie morgen mit mir in Madame Bredas Türkisches
Bad.»

«An Schnee habe ich noch gar nicht gedacht.»

«Vielleicht sollten Sie», sagte die Prinzessin.

Phryne stimmte ihr zu. Die Prinzessin durchbohrte sie mit
ihren alten, nadelscharfen Augen bis auf die Unterwäsche,
nickte und gab Sascha liebevoll eins hinter die Ohren.

«Geh jetzt, du Narr, und tanze mit Mademoiselle, mit
deinen Beinen kannst du besser umgehen als mit deinem
Mundwerk», schimpfte sie. Sascha breitete die Arme aus, in
die Phryne sich behaglich hineingab, und die beiden tanzten, bis das Essen angekündigt wurde. Sascha warf ihr einen
Blick zu und entschwand zu seiner Schwester und der Prinzessin, die weit oben auf der linken Seite der Tafel saß.
Phrynes Platz befand sich zwischen Lydia und dem um-
gänglichen Abgeordneten, zwei Plätze von der Gastgeberin
entfernt.

Es hatte Stunden gedauert, bis sie ihr erlaubten, sich im Bett aufzusetzen, und selbst dann ermüdete diese Bewegung sie so sehr, daß sie über ihrem Tablett zusammensank. Cec, der sie besucht und ihr Chrysanthemen gebracht hatte, war sehr freundlich zu ihr gewesen, ganz anders als einige der Schwestern, die sie kühl und mit abweisender Geringschätzung behandelten. Sie mochte Cec. Ihre Mutter war bei ihr gewesen und hatte darüber geweint, wie knapp sie dem Tod entronnen war, und sich darüber verwundert, daß ein aufgeschürftes Knie solches Unheil anrichten konnte.

Alice überlegte, wie sie wohl aussah. Sie hatten ihr das Haar abgeschnitten, das sie als das Schönste an sich empfunden hatte und das nun in kurzen Löckchen eng um ihren Kopf herum lag, und sie war so dünn geworden, daß sie beinahe durch ihre Handgelenke hindurchsehen konnte.

Sie hatte mit dem Polizisten gesprochen, der alles, was sie stockend berichtet hatte, in ein schwarzes Notizbuch geschrieben hatte. Leider konnte sie ihm nicht viel sagen. Sie war am Bahnhof von einem Wagen mit abgedunkelten Scheiben abgeholt worden, einer Art Lieferwagen, und sie war so eilig in das Haus gedrängt worden, daß sie nicht in der Lage war, die Straße zu erkennen. Es war eine schmale Straße mit Kopfsteinpflaster gewesen, laut und schlecht beleuchtet. Es hatte nach Kochwürsten und Bier gerochen und auch nach irgendwelchen Chemikalien. Sie hatte eine Beschreibung des Zimmers gegeben, aber es war mit dem Klavier, einem Kamin und den Sesselschonern so normal gewesen, daß es sich um Tausende von anständigen Wohnzimmern hätte handeln können. Sie konnte sich nicht mehr daran erinnern, wie sie hinaus auf die Lonsdale Street gekommen war, nachdem sie zwei Tage auf einer Gästeliege in der Ecke des Zimmers gelegen hatte, zusammen mit einem anderen Mädchen, das nicht mit ihr redete, sondern nur in einer fremden Sprache vor sich hin stöhnte.

Sie begriff nicht, warum man sie so lange dort behalten hatte, außer vielleicht, daß dieser ekelhafte George sie bei sich haben wollte. Er war erst in Panik geraten, als er merkte, wie heiß sie sich anfühlte.

Eine blasse, vornehm gekleidete Dame hatte einmal kurz in ihr Zimmer geschaut und dann eilig die Tür geschlossen. Sie war ganz in Dunkelblau gekleidet gewesen und sah sehr hübsch aus.

Der Polizist schien sehr enttäuscht gewesen zu sein und hatte sie, bevor er ging, darum gebeten, ihn anzurufen, wenn sie sich an mehr erinnerte.

In der Zwischenzeit konnte sie nicht mehr tun, als ihre Milch mit Ei zu trinken und zu schlafen. Ihr ganzes Leben lang hatte sie gearbeitet. Einfach nur untätig dazuliegen war ein ungewohnt seltsames Gefühl.

Nachdem man sie ins Leben zurückgeholt hatte, war sie nicht mehr in Versuchung, es wieder aufzugeben, auch wenn sie so müde und dünn war und sich teilnahmslos fühlte. Außerdem besuchte Cec sie jeden Tag und saß an ihrem Bett. Die meiste Zeit schwieg er, doch in seinem Schweigen lag etwas Tröstliches, und er hielt ihre Hand, so, als wäre es eine große Ehre. Daran war Alice nicht gewöhnt.

SIEBEN

Sag, Mann im Harnisch, was dich so
Allein und trüb zu schweifen zwingt?

La Belle Dame Sans Merci,
John Keats

Der erste Gang, eine köstliche Spargelsuppe, ging recht gesittet vonstatten, indem Lydia vorsichtig Bemerkungen über das Melbourner Wetter machte, auf die Robert Sanderson mit warmer Zustimmung einging.

«Man sagt, wenn dir das Wetter nicht gefällt, dann warte eine halbe Stunde, und es ändert sich. Das macht die Kleiderfrage verflixt schwierig, kann ich Ihnen sagen.»

«Aber nicht so sehr für die Herren», warf Phryne ein. «Männer müssen immer das gleiche tragen, egal, ob es draußen heiß, kalt, naß oder trocken ist. Soweit ich weiß, nennt man das die assyrische Rüstung des Herren. Langweilt Sie das nicht ungemein?»

«Ja, vielleicht, Miss Fisher, aber was soll ich machen? Ich kann nicht in alten Flanellhosen und roter Krawatte herumlaufen, wie es diese Künstlerburschen aus Heidelberg tun. Die Menschen, die mir die Ehre erwiesen haben, mich mit der Ausübung staatlicher Macht zu betrauen, erwarten einen gewissen Standard, und es ist mir ein Vergnügen, ihren Wünschen nachzukommen. Darin zumindest kann ich es ihnen recht machen. Was mir sonst leider selten gelingt.»

Phryne genoß diese Rede zusammen mit der Spargelsuppe. Jemand, der eine so abgedroschene Bemerkung in so
gewichtige Worte kleiden konnte, war ohne Zweifel der ge-
borene Politiker. Die Suppe wurde abgeräumt und das En-
trée, Breitling mit Zitrone und gebuttertem Toast, wurde
aufgetragen. Das Essen war köstlich, doch die Unterhaltung
begann Phryne zu langweilen. Mit Rücksicht auf ihr Vor-
haben wollte sie die Gesellschaft jetzt nicht mit etwas
Schockierendem ablenken, so wie sie es sonst für gewöhnlich tat, um entweder eine interessante Unterhaltung zu ent-
fachen oder um für ausreichend Stille zu sorgen, damit sie
ungestört essen konnte. Mrs. Cryer erging sich gerade über
die Unverschämtheit der Armen.

«Ein schmutziger Mann – ich meine, er stank wirklich –
öffnete die Tür zu meinem Taxi und besaß wirklich die
Frechheit, um Geld zu betteln! Und als ich ihm einen Penny
gab, hätte er ihn mir beinahe ins Gesicht geworfen und hat
mich auf die beleidigendste Weise beschimpft.»

Phryne hatte ein paar vergnügliche Augenblicke, sich zu
überlegen, wie er sie wohl genannt hatte. Ein knauseriges
Weibsstück vielleicht, womit er den Nagel auf den Kopf getroffen hätte.

«Mir ist etwas ganz Ähnliches widerfahren», erinnerte
sich Sanderson. Phryne sah ihn an. Sie hoffte, daß er jetzt
nicht drauf und dran war, die gute Meinung, die sie von ihm
hatte, zu verderben. «Ein schmuddeliger Bursche polierte
die Fenster meines Autos mit einem verboten schmutzigen
Lappen, daß ich anschließend kaum durch sie hindurchsehen konnte, und verlangte dann einen Sixpence von mir –
und dann bot er mir an, sie für einen Shilling noch einmal zu
putzen, diesmal mit einem sauberen Lappen.»

Sanderson gluckste in sich hinein, doch Mrs. Cryer winkte entrüstet ab.

«Ich hoffe doch, daß Sie ihm nichts gegeben haben, Mr. Sanderson!»

«Aber selbstverständlich habe ich das, Gnädigste.»

«Aber er hätte es doch nur vertrunken! Sie wissen doch, wie die Arbeiterklasse ist!»

«Natürlich, Gnädigste, aber warum sollte er es nicht vertrinken? Möchten Sie den Armen, deren Leben schon elend und hoffnungslos genug ist, das bißchen Trost nehmen, durch den sie ihre niederdrückende Armut ein wenig vergessen können? Es mag ein erbärmlicher und dünner Trost sein, aber möchten Sie so herzlos sein, den Armen auch noch dasjenige Vergnügen zu untersagen, dem wir uns jetzt alle auf Ihre Kosten hingeben?» Er sah bedeutungsschwer auf das Glas Wein von Mrs. Cryer – es war ihr drittes, und das, obwohl sie kaum etwas gegessen hatte. Eine unkleidsame Röte stieg der Gastgeberin bis in die Haarwurzeln, und Phryne, die ihre Meinung über den Abgeordneten bestätigt fand, füllte das Loch in der Unterhaltung. Ihr kam es vor, als hätte sie diese Rede schon einmal gehört – war sie nicht von Dr. Johnson –, aber sie ehrte ihn. Phryne wollte jedoch ein paar Pluspunkte bei Mrs. Cryer sammeln, und das hier schien ihr die passende Gelegenheit zu sein.

«Sagen Sie, Mr. Sanderson, welcher Partei gehören Sie an? Ich weiß so wenig über die politischen Gegebenheiten in Melbourne.»

«Ich bin Konservativer, und bin es immer gewesen, und ich kann mit Freuden sagen, daß wir uns gegenwärtig in ausgezeichneter Position befinden. Im Augenblick habe ich die Ehre, im Parlament diesen Wahlkreis zu vertreten, ich bin hier geboren. Mein Vater kam aus Yorkshire hierher, doch ich selbst war nie zu Hause. Irgendwie hatte ich nie die Zeit dazu. Ich habe zu viele Verpflichtungen hier. Gegenwärtig errichten wir zum Beispiel einige Suppenküchen, und für die Arbeitslosen wird es Beschäftigungsprogramme geben, durch die sie finanzielle Unterstützung erhalten werden.»

«Ist das nicht ungeheuer kostspielig?»

«Doch, sicherlich, aber wir können nicht zulassen, daß der arbeitende Mann hungert.»

«Was ist mit den arbeitenden Frauen?» fragte Phryne arglos. Es herrschte entsetztes Schweigen.

«Aber Mrs. Fisher, sie sind doch nicht etwa eine Suffragette?» rief Mrs. Cryer kichernd. «Wie unfein!»

«Haben Sie bei den letzten Wahlen Ihre Stimme abgegeben, Mrs. Cryer?» fragte Robert Sanderson, und die Gastgeberin sandte ihm einen finsteren Blick zu. Phryne dachte, daß sie lieber die Finger von der Politik hätte lassen sollen und wechselte das Thema.

«Begeistert sich jemand der Herren für das Fliegen?»

Zu Phrynes großer Erleichterung meldete sich quer über die Tafel ein gewisser Alan Carroll zu Wort, der begeistert das Wesentliche über die neue Avro zum besten gab, wodurch sich die Unterhaltung den Wundern der Wissenschaft zuwandte, wie dem Telefon, dem Radio, dem Auto, der elektrischen Eisenbahn, dem Flugzeug und dem Heißwasserboiler.

Die Brathähnchen wurden hereingebracht, und die Unterhaltung erlahmte. Lydia hingegen sprach in boshaftem, gedämpftem Ton zu ihrem Mann. Phryne lauschte unauffällig, und was sie hören konnte, bestärkte ihre Meinung, daß Lydia trotz ihrer ausdruckslosen Erscheinung einen eisernen Willen hatte.

«Und ich sage dir, Matthews ist ein Gauner. Er lacht über deine Naivität. Du darfst ihm nicht glauben, diese Goldmine ist ein Schwindel. In der *Business Review* war ein Artikel darüber, hast du ihn etwa nicht gelesen? Ich hatte ihn dir angestrichen. Du wirst unseren letzten Penny verlieren, und dann kommst du wieder zu mir und jammerst. Ich habe dir gesagt, daß du keinen Geschäftssinn hast. Überlaß das Geldanlegen mir! Ich weiß, was ich tue.»

Mr. Andrews ließ die Standpauke demütig über sich ergehen.

Das Abendessen schloß mit Eiscreme, Pudding und Obst, und dann zogen sich die Damen zurück, um ihren Kaffee zu nehmen und zu tratschen. Lydia hängte sich an Phryne, sagte jedoch keinen Ton, und Phryne hatte keine weitere Gelegenheit, mit der Prinzessin zu sprechen, die in einer Ecke mit einem Samowar und einer Flasche Orangenlikör separat Hof hielt. Phryne trank schlückchenweise ihren Kaffee und befreite sich dann für zehn Minuten von Lydia. Sie ging zurück in den mittlerweile verdunkelten Ballsaal. Sie schloß daraus, daß die Tänzer ihre Vorführung beginnen wollten und bemerkte, daß die Prinzessin sich ihr angeschlossen hatte.

«Haben Sie sich entschieden?» flüsterte sie.

«Ich bin dabei, vorausgesetzt, Sie sagen mir, was Sie finden», sagte Phryne ohne sich umzudrehen. Die alte Frau gackerte beunruhigend.

«Ruhe jetzt. Die Vorstellung beginnt.»

Die Gäste wurden durch eine peinliche Mischung aus Schönberg und russischen Volksweisen zum Schweigen gebracht, die ohne Sinn für Musik zum besten gegeben wurden. Die Musik, die so laut war, daß man sie nicht überhören konnte, tat in den Ohren weh. Ein Zuviel davon würde Milch zum gerinnen bringen, davon war Phryne überzeugt.

Die Musik kreischte grell auf, und die junge Frau, die, wie Phryne erfahren hatte, Elli hieß, sprang in den Kreis der Zuschauer. Zu ihrem Trikot trug sie eine Schürze und eine lange, blonde Perücke mit geflochtenen Zöpfen. Wie sie so umhersprang und von Zeit zu Zeit stehenblieb, um Blumen zu pflücken, die sie in ihre Schürze steckte, wirkte sie gleichermaßen komisch wie anrührend. Ihr kindlicher und unbeholfener Tanz sollte andeuten, daß es ein schöner Frühlingstag war. Sie kniete sich nieder, um Wasser aus einem Teich zu schöpfen und erblickte darin ihr eigenes Spiegelbild. Sie zog ein paar Grimassen, löste ihre Zöpfe, begutachtete das Ergebnis und lächelte durch ihr lang herabfallendes Haar hindurch.

Sascha, der in seinem pechschwarzen Trikot nahezu unsichtbar war, schlich sich, mit einer weißen Maske in der Hand, lautlos wie eine Katze an. Das Mädchen entdeckte ihn, warf den Kopf zurück und lächelte schüchtern. Sascha verzog den Mund zu einem unschuldigen Lächeln, und sie tanzten einen unbeholfenen *Pas de deux*, zu dem die Musik nach Bauernmanier johlend aufspielte. Sie umrundeten einmal den Saal und brachten das Publikum zum Lachen, indem sie sich gegenseitig auf die Füße traten. Dann wirbelte das Mädchen mit flatternder Schürze allein davon, und die unsichtbaren Blumen verstreuten sich auf ihrem Weg.

Sascha verharrte und setzte die Maske auf, wodurch er augenblicklich größer, dünner und unendlich angsteinflößender wirkte. Mit der Totenschädelmaske bekam seine

Unbeholfenheit etwas Unheilvolles, obwohl die Maske nur ganz rudimentär gebaut war; kein vollständiger Schädel, sondern nur die leeren Augenhöhlen und die Gesichtsknochen, die grau, rissig und gebrochen waren, als hätte er lange Zeit im Grab gelegen. Unter dieser Halbmaske konnte man Saschas eigenes zartes Kinn und seinen roten Mund erkennen, was das Ganze irgendwie noch furchterregender machte. Das Mädchen tanzte noch ein paar Schritte ihres Bauerntanzes, und der Tod, der nun überhaupt nichts Unbeholfenes mehr hatte, folgte ihr. Ohne ihn zu bemerken, wich sie ihm immer wieder aus und entfloh seinem Griff, doch dann drehte sie sich um, erblickte ihn und lief mit einem Aufschrei davon.

Der Tod verfolgte sie, zuerst sachte und dann schneller, indem er ihr auflauerte und den Weg abschnitt, bis sie ihm schließlich direkt in die Arme lief. Sein wildes Grinsen jagte Phryne einen Schauer über den Rücken, vor allem, weil sie daran dachte, wie gern sie selbst diesen Mund küssen würde. Das Mädchen erzitterte in den Armen des Todes; ihre Knie gaben nach, und er veranstaltete mit ihr noch einmal den Bauern-*Pas-de-deux*. Aber wie jetzt ihre Füße über den Boden schleiften und ihr Kopf schlaff herunterhing, wirkte sie so mitleiderregend wie eine Vogelscheuche. Dann, als sie den Saal umkreisten, wurde sie munterer, erhob die Hände und strich sich die Haare zurück; ihr Tanz begann wilder und wilder zu werden, bis sie dem Tod in die Arme sank. Die Körperlichkeit ihrer Umarmung hatte etwas unverblümt Sexuelles, und als das Licht langsam schwächer wurde, verließen sie wie ein Liebespaar engumschlungen die Tanzfläche. Das letzte, was Phryne von ihnen sah, war die Maske des Todes, die über die Schulter des

Mädchens hinweggrinste, während sie sich in ihm aufzulösen schien.

Das ganze besaß Komik und zugleich etwas Rohes und Ursprüngliches und war so beängstigend wie die Ballette Balanchines und der anderen Russen; alles schien voller versteckter Bedeutungen zu sein, die notwendigerweise unausgesprochen blieben. Die Tänzer wirkten reichlich erleichtert, als eine voluminöse Opernsängerin sich neben dem Flügel postierte und begann, eine schwierige Wagnerarie zu singen.

Phryne spürte die kalte, affenartige Hand der Prinzessin auf ihrem Arm.

«Das war was, nicht?» fragte die Prinzessin stolz. «*Un petit air de rien, hein?* Das gewisse Etwas.»

Phryne pflichtete ihr bei, und die voluminöse Dame fuhr fort, Wagner zu malträtieren.

Fast zwei Uhr morgens und längst Zeit zu gehen, dachte Phryne, die durch die Tanzdarbietung und durch Sascha reichlich aufgewühlt war und morgen in aller Frühe aufstehen und die Prinzessin in Madame Bredas Badehaus begleiten mußte, was ihr als höchst zweifelhaftes Unterfangen vorkam. Sie schaute sich nach Lydia um, doch diese war gegangen. Dann suchte sie Sascha, Elli und die Prinzessin, aber sie konnte sie nirgends finden. Sie verabschiedete sich von der Gastgeberin, holte ihren Umhang und lehnte das Angebot, ein Taxi für sie zu rufen, ab. Ihr stand der Sinn nach einem Fußmarsch, es war nicht weit bis in die Stadt. Es war immer noch kalt, und die Straßen waren ganz glatt vor Feuchtigkeit, die bald überfrieren würde. In ihrer Handtasche befand sich die kleine Pistole, für den Fall, daß ihr jemand Ärger machen sollte.

Die Straßen waren menschenleer. Phryne gefiel es sehr, wie das Klackern ihrer Absätze auf dem Bürgersteig nachhallte. Sie ging schnellen Schrittes die Toorak Street hinauf, in der sie meinte, einen Taxistand gesehen zu haben. Die Nacht war schön und klar, und die Luft war so kalt, daß es schmerzte, was ein angenehmer Gegensatz zu der orchideengeschwängerten Treibhausluft bei Mrs. Cryer war.

Sie bog in die Straße ein, die sie in die Stadt zurückführen würde. Es standen keine Taxis dort. Doch egal, nachts, beim spazierengehen, konnte sie immer am besten nachdenken. Während die Straßennamen an ihr vorbeizogen, ordnete sie ihre Eindrücke. Sie hatte in Gedanken versunken schon fast eine Meile zurückgelegt, als die tiefe Stille von einem Geräusch durchbrochen wurde. Laufgeräusche; viele Menschen. Ein Schrei ertönte, und dann wurde die friedliche Melbourner Nacht auf völlig unerwartete Weise von einem Schuß gestört.

Nun, dachte Phryne bei sich, und setzte ihr energisches Tempo fort, sie war unbeschadet durch die Paradise Street, Soho und über die Place Pigalle gegangen, sollte eine kleine nächtliche Störung ihr da übermäßig Anlaß zur Sorge geben?

Aus einer Nebenstraße hörte sie laute Schritte. Dann prallte sie beinahe mit einer Gestalt zusammen. Sie sprang zur Seite, um den Angreifer ihre kleine Pistole vorzuhalten. Sie war entsichert und geladen.

«Ich bin's, Sascha», keuchte die Gestalt. «*Pour l'amour de Dieu! Aidez-moi, Mademoiselle.*» Er hatte immer noch sein Todeskostüm, das Trikot und die Maske an. Phryne ließ die Waffe sinken, da sie ihm nicht ins Herz schießen wollte, gab sie ihm, zog sich den Umhang ab und hüllte ihn darin ein. Sie riß sich das Haarband aus den Haaren und zwang es mit etwas Gewalt über seinen Kopf, nahm ihm die Maske ab und stopfte sie in ihre weiten Ärmel. Sie nahm die Pistole wieder an sich, hakte ihn ein und wies ihn an: «Du bist beschwipst. Lehn dich gegen mich und kichere.»

«Kichern?» fragte Sascha mit leicht verständnislosem Stammeln, bis er begriff.

Die Schritte hatten sie eingeholt, verlangsamten sich und kamen hinter ihnen näher. Phryne warf den Kopf zurück, quietschte freudig auf, und stieß ihren Begleiter in die Seite, der ein bißchen stärker taumelte, als es dramaturgisch erforderlich war und in ein gekonnt schrilles Gekicher ausbrach. Zu beiden Seiten ging jemand an ihnen vorbei, und zwei Männer blieben vor ihnen stehen.

«Haben Sie hier einen Mann vorbeilaufen sehen?» fragte der kleinere der beiden angriffslustig. «Er muß hier vorbeigekommen sein.»

«Sie Frecher, einfach zwei Damen auf dem Nachhauseweg zu belästigen!» antwortete Phryne mit einem leichten Anflug von Cockney. «Wir sind anständige Mädchen und haben keinen Mann vorbeilaufen sehen. 'n paar liegen sehen, das haben wir, was, mein kleiner Kohlkopf?» und sie lachte wieder, obwohl sie einige Mühe hatte, Sascha zu halten.

Sie sah die beiden Männer scharf an, um sie später wiedererkennen zu können. Der Redner war klein, dick und hatte einen Kugelkopf, eine Reibeisenstimme und trug einen gewichsten wilden Schnauzbart, in dem deutlich mehr Krümel hingen, als die Mode es erlaubte; der andere war größer und schlanker, hatte Haare, die glänzten wie Lackleder, einen hochmütigen Gesichtsausdruck und einen dünnen

Schnurrbart, wie einen Rand von brauner Windsor-Suppe. Beide hatten verdächtig große Beulen in ihren Hosen, die entweder auf riesige Geschlechtsteile oder auf versteckte Pistolen hinwiesen. Phryne tendierte zu der Pistolenvariante.

Sascha sagte auf Französisch: «Wer sind diese Rüpel, mein Kohlkopf?» und zu Phrynes Überraschung antwortete der Große in derselben Sprache.

«*Mademoiselle, pardon, avez-vous vu un homme en courant d'ici?*»* Es war nicht ganz das Französisch wie Phryne (und wahrscheinlich auch Sascha) es gewohnt war, doch sprach es dafür, daß an Gangster Nummer Zwei zumindest ein Minimum an Bildung verschwendet worden war.

«*Non, non*», protestierte Sascha und kicherte wieder. «*Les hommes me suivent; je n'ai pas encore rencontré un homme qui me trouve laide.*»**

«Los, komm, Bill, die beiden Flittchen haben keinen Schimmer!» rief Gangster Eins, und er und Gangster Zwei überquerten die Straße und verschwanden in einer Seitenstraße. Die letzte verächtliche Bemerkung von Gangster Eins erreichte sie von der anderen Straßenseite.

«Angesäuselt sind sie auch noch!»

«Sascha, was ist los? Bist du wirklich angesäuselt?» fragte Phryne und manövrierte ihre Schulter unter seine Achsel, als er zusammensank. Sie schaffte ihn zu einer hohen Eingangstreppe und setzte ihn darauf ab.

«Einer von ihnen hatte ein Messer», sagte Sascha völlig klar.

---

* «Entschuldigung, Mademoiselle, haben Sie hier einen Mann vorbeilaufen sehen?»
** «Nein, Nein», ... «die Männer laufen mir nach; noch nie habe ich einen Mann getroffen, der mich häßlich findet.»

Mit diesen Worten sank er anmutig in Phrynes Arme, und sein Kopf hing schlaff über ihrer Schulter.

«O ja», sagte die junge Frau zerknirscht. «Was soll ich jetzt nur machen?»

Im gleichen Moment hörte sie einen Wagen näherkommen und wartete unentschlossen mit der Pistole in der Hand. Zu ihrem Glück handelte es sich, obwohl das Schild heruntergeklappt war, um ein Taxi, und sie ging auf die Straße, um es anzuhalten.

«He, du verrücktes Weibsstück, hast du sie nicht mehr alle?» rief eine bekannte Stimme, und Phryne mußte sich zurückhalten, dem Fahrer nicht um den Hals zu fallen. Es waren Bert und Cec.

«O Bert, höchste Zeit, daß Sie kommen, ich warte schon seit Stunden auf euch. Meine Freundin ist ohnmächtig geworden. Helfen Sie mir, sie in den Wagen zu bringen, und fahren Sie uns zum Windsor. Ich gebe Ihnen zehn Pfund.»

«Zwölf», handelte Bert, während er das klapprige Auto zurücksetzte und die Tür aufstieß.

«Zehn – mehr habe ich nicht bei mir.»

«Elf», bot Bert, sammelte Sascha auf und legte ihn auf den Rücksitz. Phryne folgte ihm, und der schweigende Cec stieg ein. Bert ließ mit einigen Schwierigkeiten den Motor an und sagte: «Wie steht's mit zwanzig, wenn wir Ihrem Papi dafür nicht sagen, was Sie hier treiben?»

Phryne holte die kleine Pistole hervor und legte ihm den kalten Lauf in den Nacken.

«Wie wär's mit gar nichts? Ich dachte, wir wären Freunde», schlug sie mit einschmeichelnder Stimme vor. Ihre Geduld mit diesen beiden war jetzt bald zu Ende. Mit zehn Pfund könnte sie das ganze Taxi kaufen und hätte

111

noch genug Wechselgeld für ein Päckchen Zigaretten und ein Bier.

«Na gut, wir lassen's bei den runden zehn, in Ordnung?» sagte Bert ohne mit der Wimper zu zucken. «Glück für Sie, daß Cec und ich gerade vorbeigekommen sind.»

Phryne, die sich Sorgen um Saschas Zustand machte und zudem noch höchst unbequem auf etwas thronte, bei dem es sich höchstwahrscheinlich um Diebesgut handelte, schwieg. Sie fuhren über leere Straßen zum Windsor, und Bert betätigte die Nachtglocken, während Cec und Phryne Sascha halfen, der sich soweit erholt hatte, daß er stehen konnte.

Phryne holte die zehn Pfund hervor.

«Wie geht es dem Mädchen, das Sie ins Krankenhaus gebracht haben? Suchen Sie nach diesem George?»

Bert spie verächtlich seine Zigarette aus.

«Klar, wir suchen ihn, aber keine Spur von ihm, Cec meint, er hat ihn schon mal gesehen, aber er weiß nicht mehr wo. Die schottische Ärztin hat uns zur Polizei mitgenommen, und sie sagten, sie würden was unternehmen. Aber sie wissen auch nichts. Aber ich sammle Nummern – und ein Kumpel von mir besorgt mir morgen noch eine.»

«Nummern?» fragte Phryne und konnte Sascha nur unter Schwierigkeiten abstützen.

«Ja, Telefonnummern. Wir brauchen nur noch 'ne Frau, die anruft.» Phryne lächelte, und Bert trat einen Schritt zurück.

«Sie haben Ihre Frau», sagte Phryne in gedehntem australischem Akzent. «Rufen Sie an, und wir halten Kriegsrat ab – nein, besser ist, ich besorge mir selbst ein Auto, und wir telefonieren von einer Telefonzelle, damit wir die Vermittlung umgehen. Treffen wir uns übermorgen mittags an der

Ecke Flinders Street und Spencer Street. Gute Nacht», fügte sie hinzu, als der Portier die Tür öffnete und sie Sascha hineinschob und die Treppe hinaufbugsierte. Die beiden Männer starrten noch eine Weile auf die verschlossene Tür und verschwanden dann, um sich wieder ihren eigenen Angelegenheiten zu widmen.

«Glaubst du, sie kann es, Bert?» fragte Cec nach langem Schweigen.

«Klar kann sie das», bestätigte Bert.

Phryne gelang es, Sascha ohne viel Lärm auf ihr Zimmer zu bringen. Dot war bereits schlafen gegangen. Sie half dem jungen Mann auf das Sofa, nahm ihm das Cape und das Haarband ab und besah sich den Schaden. Seine Schwäche erklärte sich dadurch, daß jemand seinem Bizeps mit einem rasiermesserscharfen Messer durch das Trikot hindurch eine lange, dünne Schnittwunde zugefügt hatte, und obwohl diese im Vergleich zu dem Trümmerwerk, den so mancher Raufbold aus der Unterwelt zurückließ, eher harmlos war, blutete sie heftig.

Phryne, die wußte, daß Blut sich nicht aus Satin entfernen ließ, zog ihr wunderbares Kleid aus und fand im Badezimmer ein Handtuch und einen frisch gewaschenen Strumpf. Sie rief den Zimmerservice an und bestellte starken Kaffee und eine Flasche Bénédictine. Als Sascha wieder bei vollem Bewußtsein war, sah er eine junge Frau vor sich, die ihm, nur bekleidet in einem schwarzen Hemdhöschen, schwarzen Strümpfen, Pumps und einem Handtuch, einen Drink anbot. Ihre Brust war mit hellrotem Blut befleckt, was seiner Ansicht nach genau das war, was ihrem Aufzug noch gefehlt hatte.

Sein Arm schmerzte. Voller Sorge, der Muskel könnte verletzt sein, sah er an seinem Oberarm hinunter, der fest mit einem Strumpf umwickelt war und erschrak über das viele Blut.

«Die Verletzung ist nicht schwer, aber dem Zustand deiner Jacke nach zu urteilen, hast du eine Menge Blut verloren. Der Arm ist nicht lahm; beweg die Finger, einen nach dem anderen. Gut. Jetzt mach eine Faust. Gut. Jetzt beuge den Arm. Bringe die Faust zur Schulter und laß sie dort, dann wird die Blutung aufhören. Trink jetzt bitte noch mehr Kaffee und halte den Arm still. Einen jungen Mann in seinem Hotelzimmer kann man erklären, aber bei einer Leiche könnte es problematisch werden.»

Phryne, die sich durch den Blick des jungen Mannes darüber klar wurde, daß man ihre Bekleidung durchaus als dürftig bezeichnen konnte, wischte sich das Blut von der Brust und hüllte sich in ihren Männermorgenmantel. Dann goß sie sich eine Tasse Kaffee ein, zündete sich eine Zigarette an und wartete auf eine Erklärung.

Sascha, der spürte, wie die Kräfte allmählich in seinen matten Körper zurückkehrten, nahm einen Schluck Kaffee, nippte von seinem Likör und begann auf Französisch zu sprechen, das ihm leichter als Englisch über die Lippen kam.

«Es ging um Schnee», sagte er, wobei er das Wort *neige*, das in Frankreich normalerweise mit Skiunterricht in Verbindung gebracht wird, mit starkem Ekel aussprach. «Ich hörte mit, daß an einem bestimmten Ort eine Übergabe stattfinden sollte, also ging ich dort hin, ohne der Prinzessin oder meiner Schwester davon zu erzählen. Sie werden mir bei lebendigem Leib die Haut abziehen! Obwohl das gar nicht mehr nötig ist, denn schließlich habe ich mich schon

114

erfolgreich selbst bestraft. Bist du sicher wegen des Muskels? Er ist sehr zart.»

Phryne beteuerte es noch einmal. Sie erinnerte sich, daß sie etwas Alaunpulver besaß, holte es aus dem Badezimmer und trug es auf den Arm auf. Sie konnte nicht umhin zu bemerken, wie muskulös er war; seine Haut war so glatt wie eine Murmel. Sie schnitt die Seitennaht des Trikots auf und zog den Stoff beiseite, und legte dann das Gewand um ihn, das sie als Bademantel benutzte. Es bestand aus dunkelgrüner Baumwolle und stand ihm ausgezeichnet. Obwohl er seiner Schwester überaus ähnlich sah, war Sascha für sie doch eindeutig männlich, selbst wenn er, wie jetzt, Frauenkleider trug. Seine Anziehungskraft hatte überhaupt nichts Androgynes. Wie die Prinzessin gesagt hatte: hätte er all die Reize, die Gott ihm geschenkt hatte, ihr gegenüber ausgespielt, sie würde in seinen Armen liegen und ihm jeden Wunsch von den Lippen ablesen.

Als sie sich hinter ihn auf die Sofalehne setzte, lehnte er sich mit dem Rücken gegen ihren Schenkel, und sie fuhr mit der Hand durch sein lockiges Haar.

«Weiter», befahl sie. «Was hast du dann gemacht?»

«Ich habe mich außerhalb des Tores versteckt», sagte Sascha seufzend. «Dann fuhr wie verabredet das Auto vor, und ein Päckchen wurde ausgetauscht. Dann sahen sie mich, und ich bin wie verrückt davongelaufen! Zwei von ihnen haben mich verfolgt, zum Glück zu Fuß. Was aus dem Auto geworden ist, weiß ich nicht. Dann wurde mir erst bewußt, daß der Mann, der mich zuerst gesehen und mit dem Messer bedroht hatte, zugestochen hatte … mir schwanden die Sinne … und dann sah ich dich und warf mich dir zu Füßen und du hast mich mit bewunderungswürdiger Geistesgegenwärtigkeit und Klugheit versteckt und mich hierher gebracht. Wo ist hier?»

«Das Windsor-Hotel. Ich denke, du solltest besser heute nacht hierbleiben. In ein paar Stunden kommt die Prinzessin, um mich für Madame Bredas türkisches Bad abzuholen. Dann kann ich dich hinausschmuggeln. Wo wohnst du?»

«Wir wohnen im Scott's; ein gutes Hotel, wenn auch nicht so luxuriös wie dieses hier. Hier würde ich gerne wohnen», sagte Sascha offenherzig, während er die rechte unverwundete Hand nach seiner Kaffeetasse streckte. Phryne lachte.

«Das glaube ich dir gerne! Aber dann wäre mein Dienstmädchen schockiert», fügte sie hinzu, und überlegte, was Dot wohl zu ihrem Besuch sagen würde.

Sie zog die Überdecke von ihrem Bett und machte es Sascha, entgegen seinem Wunsch, «so wie Bruder und Schwester» bei ihr zu schlafen, auf dem Sofa bequem. Phryne wußte, wie schwach ihr Wille war, solchen Versuchungen zu widerstehen. Sie machte das Licht aus und heftete Dorothy einen Zettel an die Tür, auf dem stand: «Keine Sorge, er ist nur zu Besuch und auch noch verletzt. Weck mich um acht mit Tee und Aspirin, P.». Dann befahl sie sich in ihr eigenes Bett und verriegelte entschlossen die Tür, mehr als eine Vorsichtsmaßnahme für sie selbst, als aus Mißtrauen gegen Sascha.

Doch sobald das Licht aus war, schlief sie ohnehin fest wie ein Neugeborenes.

ACHT

Steige hernieder und erlöse uns von der Tugend,
Unsere Liebe Frau der Schmerzen

Dolores,
Algernon Swinburne

Als Phryne erwachte, fühlte sie sich wie ein halber
Mensch. Dot klopfte gegen ihre Tür. Sie kroch aus dem
Bett, nahm das Tablett entgegen, setzte sich auf und stürzte
in Höchstgeschwindigkeit die Aspirin und ihren Tee hinunter.

«Laß mir bitte ein Lavendelbad ein, Dot.»

Dot rührte sich nicht.

«Was ist mit ihm?» stieß sie hervor und deutete über ihre
Schulter hinweg. Phryne hatte Sascha ganz vergessen. Es
war noch sehr früh am Morgen.

«Sascha? Er ist überfallen worden, und ich habe ihn mit
hierhergebracht, weil es zu spät für ihn war, in sein Hotel
zurückzukehren. Er ist verletzt, Dot, und ich möchte, daß
du nett zu ihm bist.»

Sie begleitete ihr Mädchen zur Tür und sah, daß Sascha
im Schlaf alle Decken von sich gestreift hatte und nun wie
ein von einer Orgie erschöpfter Faun mit nacktem Oberkörper atemberaubend schön auf dem Sofa ausgebreitet lag
und fest schlief.

«Aber nicht zu nett. Laß ihn weiterschlafen, und wenn er
heute mittag immer noch schläft, laß ihn ruhig. Er kann kei-

117

nen Schaden anrichten», fügte sie hinzu. Ihre gesamten Papiere trug sie bei sich, und der Großteil ihres Schmucks befand sich im Hotelsafe. Und was ihre übrigen Habseligkeiten anging, so waren sie eine gute Methode, um herauszufinden, ob Sascha ein Dieb war. Zwar hatte Phryne Fisher eine Schwäche für junge attraktive Männer, doch ging diese Schwäche niemals so weit, ihnen mit mehr als ihrem Körper zu vertrauen.

«Laß jetzt mein Bad ein, Dot, und denke daran, heute ist dein freier Nachmittag. Hast du etwas Aufregendes vor?»

«Ich gehe nach Hause», sagte Dot, während sie sich in Richtung Badezimmer begab. «Und dann ins Kino. Sie zeigen den neuen Douglas Fairbanks.»

Phryne setzte sich, um ihren Tee zu trinken, zu dem sie einen ordentlichen Schuß Bénédictine gab. Als angemessene Kleidung für ihren Besuch im türkischen Bad entschied sie sich für eine strenge schwarze Hose, eine weiße Bluse und eine weite, uniformähnliche schwarze Jacke, in deren geräumigen Taschen sie die üblichen Accessoires packte. Nachdem sie den Samtbeutel von letzter Nacht gefunden hatte, nahm sie die kleine Pistole heraus, betrachtete sie nachdenklich und packte sie zu ihrer Ausstattung. Ihre Kopfschmerzen ließen allmählich nach. Sascha drehte sich im Tiefschlaf um und stöhnte. Phryne legte ihm eine Hand auf die Stirn, aber sie war kühl. Er schien keine gravierende Verletzung zu haben.

Dorothy kehrte zurück und verkündete, das Bad sei eingelaufen, und Phryne ließ sich mit einem Aufstöhnen in das dampfende Wasser sinken. Jeder ihrer Muskeln schmerzte. Sie gelobte sich, vor ihrem nächsten Tanz mit Sascha mehr Sport zu treiben und trug etwas Creme auf ihrem Gesicht auf. «Noch ein paar solche Nächte, und du wirst abgehärmt aussehen, meine Liebe», rügte sie sich selbst, während sie sich die schlanken weißen Arme und die Brüste mit Pariser Seife einschäumte. Außer daß ihre Sehnen schmerzten, war sie so schlank wie die Bronzenymphe und vollkommen makellos. Sie wusch sich gründlich, trocknete sich ab und kleidete sich an, nahm dann das leichte Frühstück zu sich, das Dot ihr bestellt hatte. Der Kaffee weckte ihre letzten Lebensgeister. Nach einigen weiteren Überlegungen gab sie die kleine Pistole Dorothy und forderte sie auf, sie zu verstecken. In ein türkisches Bad konnte man lediglich seinen Scharfsinn und seinen Gottglauben mit hineinnehmen, und die Kleider draußen konnten durchsucht werden.

Die Prinzessin traf um halb neun ein und trug ein abgetragenes Leinenkostüm, das offensichtlich für jemanden gemacht worden war, der größer und kräftiger gebaut war als sie. Sie sagte nur wenig, sondern jagte in Richtung Russell Street, und Phryne folgte ihr.

Draußen peitschte der Wind, und es war kühl. Die einzigen Anzeichen von Leben schienen aus der Little Lonsdale Street zu tönen, wo die Nachtschwärmer Eier mit Schinken in Begleitung von Mädchen aßen, die für diese Temperaturen viel zu spärlich bekleidet waren. Madame Bredas Badehaus befand sich nur einen Katzensprung von dieser Szenerie bacchantischer Freuden entfernt, und Phryne, die fror und verstimmt war, fand, daß sich diese Gegend nicht gerade heilsam auf ihren Zustand auswirkte.

Das Bad war ein großes Gebäude, das den ganzen Block zwischen Russell Street und Little Lonsdale Street einnahm. Das Haus war solide gebaut und besaß einen beeindruckend schlichten Eingang. Phryne trauerte ihrem Bett, möglichst

mit Sascha darin, hinterher, als die Tür von einem gestren-
gen schwarzgekleideten Dienstmädchen mit weißem Häub-
chen geöffnet wurde. Sie bat sie ohne ein Lächeln hinein,
und sie betraten die Eingangshalle, in der es berückend nach
orientalischen Dämpfen roch. Nachdem sie kurz überlegt
und mehrere Male tief eingeatmet hatte, erkannte Phryne in
dem Duft eine himmlische Mischung aus Bergamotte, Sandelholz und einer ganz seltenen, kostbaren Essenz – Frangi-
pani vielleicht, oder Orchidee – ein verführerischer, leicht
säuerlicher Duft, der die unvorbereiteten Sinne betörte. Die
Prinzessin stieß Phryne ihren Ellbogen in die Rippen, der,
wie ihr schien, eigens zu dem Zweck, andere zur Aufmerksamkeit anzuhalten, angespitzt worden sein mußte.

«Riecht wie im Bordell, *n'est-ce-pas*? Ein türkisches
Bad.» Phrynes Wissen über Bordelle war recht beschränkt,
und über türkische Bordelle wußte sie überhaupt nichts,
war aber überzeugt, daß es dort so riechen mußte.

Madame Breda kam mit ausgestreckter Hand auf sie zu.
Phryne trat einen Schritt zurück, denn Madame war gewal-
tig. Sie maß einen Meter achtzig und mußte an die hundert
Kilo wiegen; so blond und muskulös, wie sie war, hätte sie
als Walküre auftreten können und tosenden Beifall geerntet.
Sie hatte blaue Augen, rote Backen, einen wunderbaren
Teint und üppiges Haar; sie wirkte wie eine übermächtige
Göttin und war geradezu einschüchternd. Und sie war eine
völlig falsche Besetzung für den Schneekönig. Sie war der al-
lerletzte Mensch auf der Welt, von dem Phryne sich vorstellen konnte, daß er mit Drogen handelte. Sie hatte so etwas
niederdrückend Gesundes.

Sie wurden in einen rosa gefliesten Raum geführt, der voll
des überwältigend duftenden Dampfes war, wo man sie ent-

kleidete. Das Schwimmbecken war fünf Meter lang, ungefähr einen Meter zwanzig tief und zur Hälfte mit nilgrünem
Wasser gefüllt.

«Die Demoiselles beginnen im Dampfbad», schlug das
Dienstmädchen vor. Sie sah wie geleckt aus, kein Haar am
falschen Platz, obwohl Phryne von der Hitze bereits rote
Wangen bekam und ihr die Haare am Kopf klebten. Sie
folgten dem Dienstmädchen in das Dampfbad, wo es zum
ersticken heiß war. Dort legten sie die umgewickelten Bade-
tücher ab und setzten sich nackt auf ziemlich pieksende
Bambusstühle. Phryne sah, daß die Prinzessin, obwohl sie
so runzelig war, so gerade gewachsen wie eine Zwanzigjäh-
rige und so gesund wie ein Baum war.

«Das erinnert mich an Indien», bemerkte die Prinzessin.
«Ich war dort mit dem Gefolge des Zaren, wissen Sie.»

Phryne war nicht bekannt, daß der Zar je in Indien gewesen war, das als englische Kronkolonie jeden Grund gehabt
hätte, den russischen Zielen zu mißtrauen. Sie zweifelte an
der Geschichte, nickte jedoch höflich.

«Hier ist der Umschlagplatz», bemerkte die alte Frau.
«Das Dienstmädchen wird mir den Schnee übergeben,
wenn wir im Raum für die Massagen und die Hydrothera-
pie liegen. Seien Sie wachsam.»

Daraufhin erzählte sie charmant von ihren zahlreichen
Reisen und ihren unglaublichen Liebschaften. «Ich habe
den Tanz der sieben Schleier für den Prinzen und Rasputin
getanzt – dieser Mann hatte Augen wie unser Sascha, er
konnte eine Frau zu allem bringen –, und als ich beim vierten Schleier angelangt war, konnte der Prinz es nicht länger
aushalten, und er ...»

Gerade als die Prinzessin Phrynes ungeteilte Aufmerk-

samkeit errungen hatte, wurden sie von dem Mädchen unterbrochen, das sie in einen kühleren Raum brachte, wo sie
zur Reinigung der inneren Organe mit einem bitter schmekkenden Kräutertee versorgt wurden. Phryne musterte das
Dienstmädchen. Wie sich herausstellte hieß sie Gerda und
war Madame Bredas Kusine. Gerda hatte ein verlebtes,
knochiges Gesicht und eine schwache Flüsterstimme, in die
sie bei der Beschreibung ihrer Verwandten und Arbeitgeberin etwas Gift hineinlegte.

«Ach, die! Will, daß ich mich zu Tode arbeite! Gerda, reinige das Schwimmbad! Gerda, bring den Tee! Und ich hatte
in Österreich einen jungen Mann, eine gute Partie. Sie hat
mir hier eine Stellung angeboten, und ich kam, in der Hoffnung, genug für eine anständige Mitgift zusammenzubekommen. Und jetzt hat der junge Mann eine andere geheiratet, und ich sitze hier mit gebrochenem Herzen.»

Phryne überlegte, wie alt dieser junge Mann wohl war
und wie lange Gerda schon in Australien lebte. Sie war mindestens vierzig, ziemlich frostig und angesäuerte vierzig
noch dazu. Ihr eisengraues Haar war zu einem rachsüchtigen Knoten zurückgebunden, und ihre Figur war keineswegs dazu angetan, die Aufmerksamkeit einer Badenixenjury zu erregen. Sie war gebaut wie ein Kasten, und zwar so
originalgetreu, daß Phryne sich fragte, ob ihr vielleicht
Cox'-Orange-Äpfel in den Hintern eingebrannt waren. Sie
befand, daß nichts sie dazu bringen könnte, Gerda umzudrehen und nachzusehen.

Eine Angestellte trat mit Ölen ein, und die Damen legten
sich zur Massage nieder. Madame Breda höchstpersönlich
massierte sie, und nach dem anfänglichen Eindruck, daß all
ihre Knochen aus ihren Verankerungen gerissen wurden,

begann Phryne sich allmählich zu entspannen und das Trommeln der harten, geübten Finger zu genießen. Sie spürte, wie die Knoten in ihren Wadenmuskeln sich lösten und hinweggestrichen wurden, und das Massageöl aus Sandelholz hatte eine angenehme Schärfe. Auf der benachbarten Bank grunzte die Prinzessin vor Vergnügen. Phryne war wieder in ihren Frotteebademantel gehüllt und beobachtete die Behandlung ihrer Begleiterin mit der Freude eines Menschen, der es bereits hinter sich hat.

Madame Breda klopfte Phryne auf die Schulter und sagte dröhnend: «Jetzt nehmen Sie ein warmes Hafermehlbad, um das Öl abzuwaschen, und dann springen Sie ins Kaltwasserbecken. Sind Sie in letzter Zeit viel gelaufen? Oder haben getanzt? Ja, bei einer so schönen jungen Frau muß es Tanzen gewesen sein. Tanzen Sie beim nächsten Mal nicht so heftig, sonst verletzen Sie sich noch einen Muskel. Ich habe Sie noch nie hier gesehen. Sie sind eine Freundin der Prinzessin?

«Ich heiße Phryne Fisher», sagte Phryne zurückhaltend, da sie sich keineswegs sicher war, eine Freundin der Prinzessin zu sein. «Ich bin zu Besuch aus England.»

«Sie sollten einmal wieder zu mir kommen», verkündete Madame Breda, wobei ihre rosigen Wangen zu leuchten anfingen und ihre roten Lippen sich auf besonders einschüchternde Weise öffneten. «Sie werden sich sehr erfrischt fühlen.»

Das klang wie ein Befehl, doch Phryne lächelte und nickte. Sie wurde zu ihrem wohligen Bad geführt, das von dem Hafermehl ganz trübe war. Die kleine Angestellte, ein hübsches Mädchen, das jedoch auf der einen Wange von einer schmalen Brandnarbe verunstaltet war, wies sie an, sich zum Wa-

schen zurückzulegen. Phryne fühlte sich wie eine ägyptische
Prinzessin im Eselsmilchbad, als das Mädchen mit einem
Stoffsäckchen, das noch mehr Hafermehl enthielt, ihr sanft
den ganzen Körper abrieb. Als sie begann, sich ein bißchen
zu intensiv ihren Brustwarzen und dann ihrer Weiblichkeit
zu widmen, ließ Phryne die Augen geschlossen, aber murmelte: «Nein, danke», worauf sie damit aufhörte. Das war
also eine der Vergnügungen in Madame Bredas Programm.
Reizend, aber leider nicht nach Phrynes Geschmack. Vielleicht jedoch nach Lydias, dachte sie. Was für eine hervorragende Gelegenheit für eine hübsche kleine Erpressung.

Sie stieg unter Hilfe aus dem Bad, wurde mit sauberem
Wasser abgespritzt und zu dem grünen Becken geführt.
Dort stand Madame Breda.

«Springen Sie!» rief sie, und Phryne sprang.

Das Wasser war so kalt, daß ihr fast das Herz stehenblieb.

Nachdem sie Luft geschnappt, gewürgt und einen kleinen
Schrei ausgestoßen hatte, tauchte sie durch das Becken,
wendete und schwamm zurück. Madame Breda war verschwunden, doch betraten die Prinzessin und Gerda den
Raum. Obwohl Phryne die Ohren spitzte, konnte sie die
Unterhaltung nicht verstehen, doch sie sah, wie ein Päckchen ausgetauscht wurde und Gerda ein ansehnliches Geld-
bündel im Innern ihrer Tracht verschwinden ließ.

Die Prinzessin sprang in das Becken, kletterte wieder hinaus und schüttelte sich lebhaft. Dann nahmen beide Damen
ihre Bademäntel und gingen zurück zur Umkleidekabine.
Das quadratische, weiß eingewickelte und mit Wachs versiegelte Päckchen sah aus wie aus der Apotheke. Während
sie sich ankleideten, fragte Phryne: «Ist das der Stoff?»

«Selbstverständlich», antwortete die Prinzessin. Phryne steckte ihre Hand in die Tasche und stieß auf einen gefalteten Zettel, der vorher nicht dort gewesen war, und ein wattiertes Päckchen, das eine kristallförmige, salzähnliche Substanz enthielt. Sie holte keins der beiden zur näheren Betrachtung hervor, und sie glaubte nicht, daß die Prinzessin etwas bemerkt hatte.

Wieder angezogen, begaben sie sich in Madames Salon, um noch mehr von dem bitteren Tee zu trinken. Dort war Gerda mit einem großen vollbeladenen Tablett.

«Ich werde Ihnen die Rechnung ins Hotel schicken, Mademoiselle», äußerte sie ehrerbietig. «Doch ich habe Anweisung, Ihnen unsere Kosmetikartikel vorzuführen. Wir haben hier die Schlammpackung, den Badeschaum, einen Tee zur Vitalisierung und einen schönen Teint und verschiedene andere Schönheitsmittel. Madame Breda ist berühmt für ihre Schönheitsmittel.»

An diese Praxis war Phryne gewöhnt. Die meisten Schönheitssalons stellten Gesichtswasser und Kopfschmerzmittel her und verkauften sie an die Kunden, wenn sie am Entspanntesten waren. In Anbetracht der Vorgänge, die sie gerade beobachtet hatte, wollte sie jedoch kein Risiko eingehen.

«Nein, vielen Dank – aber ich werde wiederkommen. Sind Sie soweit, Prinzessin?»

«Natürlich. Übermitteln Sie Madame Breda meine besten Empfehlungen», sagte die Prinzessin mit unnachahmlicher Grazie, und sie verließen das Badehaus.

«Sagen Sie, Prinzessin, wie lautet Ihr richtiger Titel? Und warum nennen Sie sich de Grasse?»

«Das ist ganz einfach. Ich bin die Prinzessin Barazy-

125

novska. Als ich das erste Mal nach Europa kam, konnte niemand es aussprechen. Also habe ich den Namen geändert. Ich habe Grasse immer gemocht. Wissen Sie, Grasse ist das Zentrum der Parfümindustrie, und es gibt dort viele Lavendelfelder ... und Sie, Mademoiselle? Sie sind auch nicht mit lila Blut geboren, hm?»

«Blauem Blut», verbesserte sie Phryne. «Nein, ich bin in sehr armen Verhältnissen geboren. Bitterarm. Dann sind einige Menschen gestorben, und mir sind Reichtum und feiner Lebensstil zugeflogen. Das genieße ich sehr», sagte sie aufrichtig. «Nur wer einmal wirklich arm gewesen ist, weiß auch wirklichen Reichtum zu schätzen.»

«Und Sie sind es?»

«Was?»

«Wirklich reich?» fragte die Prinzessin mit allem Anschein von persönlichem Interesse.

«Ja. Wieso? Gestern abend sagten Sie, Sie wollten kein Geld.»

«Ein klein wenig Geld wäre nicht unangenehm, aber ich habe die Wahrheit gesagt.»

«Schön. Geben Sie mir jetzt das Päckchen.»

Die Hand der Prinzessin legte sich schützend über ihre Tasche.

«Warum?»

«Ich will es», sagte Phryne ohne weitere Erklärung. «Sollte ich Ihnen ein Angebot dafür machen? Oder sind Sie selbst abhängig?»

«Nein!» rief die alte Frau aus. «Nein! Machen Sie mir ein Angebot.»

Phryne dachte bei sich, was für ein Glück es doch war, daß man in Melbourne kein Französisch sprach, denn sonst hätte ihre Unterhaltung übermäßig die Aufmerksamkeit des Polizisten erreicht, an dem sie gerade vorbeigingen. Sie sagte kurz. «Zwanzig Pfund.»

«Abgemacht», stimmte die Prinzessin zu und gab ihr das Päckchen. Phryne steckte es ein und stopfte mehrere Geldscheine in die abgewetzte Geldbörse der Prinzessin.

«Nun, ich habe Ihnen das gezeigt, was sie sehen mußten», erklärte die alte Frau. «Und jetzt werde ich Sie verlassen. Leben sie wohl, mein liebes Kind. Ich lasse Ihnen meine Adresse zukommen. Sie interessieren mich.»

Und damit ging sie fort und verschwand in der Menschenmenge. Phryne erkundigte sich gleich darauf nach dem Weg zum Postamt, kaufte braunes Packpapier und Schnur und ging unterwegs in eine öffentliche Damentoilette, wo sie sich unbeobachtet hoffte. Sie leerte ihre Jackentasche und fand das knirschende Päckchen und die Nachricht.

Das Päckchen war mit einem weißen Pulver gefüllt, und die Nachricht, die mit einem schmierenden schwarzen Stift – wahrscheinlich einem Augenbrauenstift – geschrieben worden war, besagte nur: *Hüten Sie sich vor der Rose.*

Sie war nicht unterschrieben, und Phryne hatte keine Zeit, darüber nachzugrübeln. Sie tat das kleine Päckchen in das größere, wickelte beide ein, adressierte sie an Dr. Mac-Millan und fügte eine kurze Nachricht mit der Bitte um Analyse hinzu. Als das Paket abgestempelt war, atmete sie einmal tief durch und vertraute ihr Geschick der Post an.

Von der Überlegung geleitet, ob die Prinzessin ein falsches Spiel mit ihr spielte, ging Phryne in eine Apotheke und kaufte ein Päckchen Natriumbikarbonat, das in weißes Papier gepackt und mit rotem Wachs versiegelt war.

Es war erst zehn Uhr morgens, und Phryne wußte nicht, was sie mit sich anfangen sollte. Schließlich beschloß sie, daß die Wochenschau eine angenehme Art wäre, die Zeit totzuschlagen und verbrachte eine untadelige Stunde damit, etwas über keimfreie Milchprodukte zu erfahren. Schließlich konnte man nie wissen, wann einem derartige Kenntnisse nützlich sein konnten.

Um zwölf ging Phryne zurück zum Hotel, um sich für Lydias Luncheinladung umzuziehen. Draußen war es kühl und windig, und sie zog sich ein Leinenkostüm an und darüber einen weiten dunkelbraunen Wollmantel und rief sich dann ein Taxi, alles, ohne Sascha aufzuwecken, der fest schlief. Phryne, die sich über diesen unnatürlich festen Schlaf wunderte, überlegte, ob sie ihn probehalber mit einer ihrer Haarnadeln stechen sollte, doch sie entschied sich dagegen. Man stach Faune nicht mit Haarnadeln, und zudem würde es wahrscheinlich ein anstrengender Nachmittag werden; daher war es keine gute Idee, ihn mit einer Boshaftigkeit zu beginnen, die einem später ein schlechtes Gewissen bereitete.

Sie erreichte das Haus der Andrews um zehn nach eins und sah, daß draußen zwei Wagen mit Chauffeur warteten. Das gefiel ihr. Ein Tête-à-tête mit Lydia war keine erfreuliche Aussicht. Als sie das hübsche pastellfarbene Haus betrat und ihren Mantel einem sehr kleinen Dienstmädchen in Blaßblau übergab, sah sie drei Damen am Eßtisch sitzen. Phryne erkannte nur Lydia wieder, die am Tisch mit dem Rücken zu ihr saß. Die beiden Unbekannten starrten sie gelassen an. Die eine war klein und unförmig, die andere klein und dünn. Zusammen hätten sie nicht einmal bis an die Decke gereicht. Sie waren beide von unbestimmter Gesichtsfarbe, Kleidung und Stil, und Phryne mußte sich, selbst nachdem sie ihr vorgestellt worden waren, immer wieder sagen: «Ariadne ist die Dünne und Beatrice ist die Fette.»

Lydia, die ziemlich overdressed war, trug ein rosa Fuji-Kleid, Seidenstrümpfe und eine geschmacklose dunkelgrüne Emaillebrosche, die einen fliegenden Vogel darstellte und mit Edelsteinen besetzt war, die so groß waren, daß sie einfach falsch sein mußten. Sie klopfte mit einem rosa Bleistift auf eine Zahlenreihe in einem kleinen Notizbuch.

«Sagen Sie Ihrem Gatten, daß ich nicht seiner Meinung bin», brachte Lydia bestimmt vor. «Diese riskanten Gold-anleihen werden keinen Profit abwerfen. Bei den Gesell-schaften auf der Liste wird er drei Prozent bekommen, und sollten Sie sich entschließen zu investieren, werde ich Sie weiterhin beraten. Ich habe siebentausend in Greater Food-stuffs angelegt, und die Dividenden sind ausgezeichnet. Ich kann es nur weiterempfehlen. Und lassen Sie die Finger von Aktien, die Bobby Matthews Ihnen anpreist. Er ist der größte Hochstapler, den ich kenne.»

«Sie haben mich immer gut beraten», sagte Beatrice leise, «ich habe meine wenigen Ersparnisse in das Riverina-Pro-jekt gesteckt, und ich bin sehr zufrieden mit dem Ergebnis. Wenn Sie meinen, Greater Foddstuffs lohnt sich, dann werde ich Henry sagen, er soll investieren.»

«Sie werden es nicht bereuen», sagte Lydia. «Sehen Sie sich diese Bilanzen an.» Beatrice ging flüchtig die Zahlen durch. «Das ist aber kein großer Gewinn», bemerkte sie. Lydia warf ihrer rechenunbegabten Freundin einen mitleidi-gen Blick zu.

«Beatrice, das ist die Telefonnummer.»

Phryne hüstelte und sah, wie Lydia sich vor ihren Augen in das arme kleine Mädchen verwandelte.

«Oh, Miss Fisher!» sagte sie gereizt. «Das sind meine Gäste ...»

Phryne wurde ein Cocktail gereicht, obwohl die anderen Sherry tranken, ein Getränk, das Phryne verabscheute. Das kam daher, weil es billiger süßer Sherry gewesen war, an dem sie sich im Alter von fünfzehn Jahren auf einer Schlaf-saalparty zum ersten Mal betrunken hatte; die Erinne-rungen an diesen Kater hätten ein weniger couragiertes Mädchen dazu gebracht, Alkohol bis zu ihrem Lebensende abzuschwören. Der Geruch von Sherry ließ ihr immer noch leicht übel werden.

«Erzählen sie mir von Ihrer Familie, Miss Fisher», spru-delte es aus Lydia heraus, und Phryne kostete von dem Cocktail – er war mit Absinth gemacht, den sie niemals trank – und kam der Aufforderung mit einer umfassenden Beschreibung der Erbschaft ihres Vaters, seines Landbesit-zes, seines Titels und seines Hauses nach. Ariadne und Bea-trice zeigten sich entschieden unbeeindruckt, aber Lydia war hellauf begeistert.

«Oh, dann müssen Sie meinen Vater kennen – den Oberst. Er wird überallhin eingeladen.»

«Ja, das wäre gut möglich», stimmte Phryne zu. Es war immer unklug zu versichern, daß man einen bestimmten Menschen noch niemals gesehen hatte, wenn sich das leicht nachprüfen ließ.

«Aber Sie trinken gar nichts – schmeckt Ihnen der Cock-tail nicht?» fragte Lydia, und Phryne murmelte, daß er aus-gezeichnet wäre. Sie fühlte sich allmählich ein bißchen benommen und sagte sich, daß man wirklich in guter körperlicher Verfassung sein mußte, wenn man sich türkischen Bädern hingeben wollte. Mit etwas Mühe riß Phryne sich zusammen; die Damen hatten das Thema gewechselt und unterhielten sich nun über die gestrige Gesellschaft bei Mrs. Cryer.

«Ich habe gehört, diese russischen Tänzer wären dort gewesen», sagte Ariadne atemlos.

«Und daß eine der Damen einen überaus hemmungslosen Tango mit dem Jungen getanzt hat», bekräftigte Beatrice und übersah Lydias Versuche, ihre Aufmerksamkeit zu erhaschen. «Empörend unanständig, aber gekonnt, hörte ich. Ich sage immer, ein Mädchen, das im Tanzen zu bewandert ist, zeigt nur, daß sie leicht zu haben ist. Wer war es? Bestimmt eines von diesen neumodischen Dingern.»

Lydia, die es endlich geschafft hatte, die Aufmerksamkeit ihrer Freundin zu erregen, deutete verhalten auf Phryne. Beatrice zuckte mit keiner Wimper.

«Ich vermute, Sie haben das Tanzen auf dem Kontinent gelernt, Miss Fisher», war ihr einziger Kommentar, und Phryne bejahte. Zu Lydias Erleichterung wurde das Essen angekündigt. Sie ging voran in das reizende Frühstückszimmer mit Topfpflanzen und Rüschengardinen. Phryne, die ihren Cocktail mitnahm, schüttete ihn unbemerkt in eine Topfpalme, gegen die sie eigentlich nichts Persönliches hatte, und hoffte, daß sie sie nicht verriet, indem sie frühzeitig einging.

Der Lunch war ausgezeichnet – leicht und frisch mit Salat, gekochtem Schinken und Baiser – und wurde von einer Tasse Kaffee nach der anderen gefolgt. Die Damen zündeten sich Zigaretten an, und die Unterhaltung wurde privat.

Jede der drei, so schien es, war mit ihrem Ehemann unzufrieden. John Andrews war brutal, rücksichtslos und selten zu Hause; Ariadnes Mann war ihr ständig untreu und der von Beatrice ein notorischer Spieler.

Während sie ihre geröteten Augen mit einem strahlend weißen und vollkommen trockenen Taschentuch abtupfte, deutete Lydia auf bestimmte sexuelle Perversionen hin, die zu schmutzig waren, als daß man sie in den Mund nehmen könnte. Phryne bohrte ein wenig nach, in der Hoffnung, sie würde sie vielleicht doch in den Mund nehmen, aber Lydia schüttelte nur mit Märtyrermiene den Kopf und seufzte.

Phryne versuchte John Andrews Charakter in Erfahrung zu bringen, doch das Bild, das sich unter Lydias Geseufze zusammensetzte, war merkwürdig unüberzeugend. Phryne wußte, daß er roh und brutal war, ein Machtmensch; aber sie konnte sich einfach nicht vorstellen, daß er intelligent genug war, sich die umfassenden Qualen auszudenken, auf die seine Frau hindeutete. Mr. Ariadne war Bänker und Mr. Beatrice war im Importgeschäft und Börsenspekulant. Die Litanei über ihr Elend ging weiter, bis Phryne es nicht mehr ertragen konnte. Nach dem Dampfbad war sie müde, und es war vier Uhr. Sie stand auf.

«Nächstes Mal bin ich an der Reihe, Lydia», sagte sie und tätschelte der gebeutelten Frau über die Schulter und wurde dabei von jenem unangenehmen Schauder überkommen, den man hat, wenn man einen Fisch berührt. «Kommen Sie doch morgen zum Lunch ins Windsor.»

«O nein, nicht morgen – morgen kann ich nicht. Außerdem gehe ich davon aus, daß Sie viele Verpflichtungen haben. Ich werde Sie anrufen, darf ich?»

«Ja, nur zu», bejahte Phryne und war ziemlich verwirrt über diese plötzliche Absage einer Frau, die sie als chroni-

132

sche Klette diagnostiziert hatte. «Ich habe mich gefreut, Sie kennenzulernen, meine Damen. Guten Tag!»

Sie widerstand dem Drang zu rennen. Die drei Damen schienen sie die ganze Zeit genauestens beobachtet zu haben. Was wurde hier gespielt?

«Können Sie mir einen Rat geben, welche Aktien ich kaufen sollte?» fragte sie beim Aufstehen und war sich bewußt, das sie zu nuscheln begann. Sie war müde, und Lydia beobachtete sie scharf.

«Oh, bei so etwas müssen Sie Lydia fragen», sagte Beatrice lebhaft.

«Mein Mann sagt immer, in Geldangelegenheiten denkt sie wie ein Kerl. Natürlich, sie hat ihr Vermögen ganz allein gemacht – es ist ihr eigenes Geld, also kann sie es ausgeben oder investieren wie sie Lust hat.»

Das stimmte keineswegs mit Phrynes Informationen überein. Sie fragte sich, wo Lydia wohl so viel Geld herhaben mochte. Von ihrem Ehemann? Das schien nicht sehr wahrscheinlich. Sie fühlte sich immer unwohler und ging.

NEUN

Zu jagen die süße Liebe und sie zu verlieren
Zwischen weißen Armen und Busen
Zwischen der Knospe und Blüte
Zwischen deiner Kehle und Kinn.

Vor Tagesanbruch
Algernon Swinburne

Phryne kehrte in ihr Hotel zurück und war nach all den Strapazen über alle Maße erschöpft. Sie überlegte, was wohl in Madame Bredas bitterem Tee gewesen war. Sie schickte einen Pagen hinunter in die Küche, um ihr Senf zu besorgen, und mixte sich dann ein wirkungsvolles Brechmittel. Allmählich war sie sich ganz sicher, daß man sie vergiftet hatte. Ruhig und nüchtern trank sie ein großes Glas der abscheulichen Mischung, wartete, bis die Wirkung einsetzte, und trank dann noch einmal.

Sie fing an zu zittern und leerte schlückchenweise ein Glas Milch. Ihr Magen begann sich von der Schockreaktion zu beruhigen, und sie fühlte sich gereinigt und war plötzlich klar und hellwach.

Sie beschloß, daß sie sich nicht länger elend fühlen würde, machte gründlich alles sauber und öffnete das Badezimmerfenster, um frische Luft hereinzulassen. Bevor sie das Fenster wieder schloß, atmete sie ein paar Züge der verräucherten Alltagsluft ein und kam zu dem Schluß, daß es das beste wäre, sich ins Bett zu legen, bis sich ihre Körpertemperatur wieder im Normalbereich befand.

Sie zog sich aus, ließ ihre Kleider auf den Boden fallen, watete barfuß zu ihrem riesigen, mit Decken überhäuften Bett und kuschelte sich hinein. Sie wollte nachdenken, doch sie schlief sofort erschöpft ein.

Zwei Stunden später wurde sie durch Stimmen in ihrem Wohnzimmer aufgeweckt. Sie hörte, wie jemand deutlich sagte: «Damit werden wir sie fertigmachen!», und wie dann die Tür zu ihrer Suite von außen geschlossen wurde. Das Schloß rastete ein. Phryne schlich auf Zehenspitzen zur Tür und inspizierte das Zimmer. Sie sah, daß etwas bewegt worden war: ihre Jacke. Sie hob sie hoch und schüttelte sie. Aus der tiefen Jackentasche fiel das dritte knirschende Päckchen des Tages, und diesmal ging Phryne kein Risiko ein. Sie öffnete es und schüttete etwas von dem Pulver heraus. Als sie es mit der Zungenspitze berührte, spürte sie die stark betäubende Wirkung. Sie spülte die Verpackung und das Pulver in der Toilette hinunter.

Ratlos suchte sie das Zimmer ab. Sonst schien alles unberührt. Sie war sich sicher, daß die Stimmen nicht lange dort gewesen sein konnten, denn für gewöhnlich hatte sie einen leichten Schlaf. Wahrscheinlich hatten sie keine Zeit gehabt, um mehrere der Päckchen zu verstecken. Sie bemerkte, daß die Eingangstür einen Riegel hatte, schob ihn vor und kehrte dann verwirrt ins Bett zurück. In ihrem Bett, das mit Kissen überhäuft war, hätte ein ganzes Regiment Platz gehabt.

Erst als sie in die Mitte des schweren Bettes hinüberrollte und gegen einen warmen Körper stieß, wurde ihr bewußt, daß Sascha noch immer da war.

Als sie ihn berührte, erwachte er und schlang fest die Arme um sie. Als er ihren Widerstand spürte, gab er sie sogleich frei und tastete umher, bis er ihre Hand fand. Diese begann er zart zu küssen und unterbrach seinen Weg ihren Arm entlang nur, um ihre Fragen zu beantworten.

«Was tust du hier in meinem Bett, Sascha?»

«Auf dich warten.»

«Warum wartest du auf mich?»

«Weil ich dich will», sagte er erstaunt. «Du bist großartig. Und ich bin großartig. Wir sollten gemeinsam großartig sein», schloß er selbstgefällig, während er ihre Schulter berührte und sein Gesicht an ihrem Hals begrub.

Das stimmte mit Phrynes Einschätzung der Verhältnisse überein, und so weit sie absehen konnte, stellte Sascha keine Gefahr für ihr Leben dar. Sie fand, daß sie ihre Tugend nun ruhig ein bißchen sich selbst überlassen konnte.

«Hast du geschlafen, als ich zum Lunch gegangen bin?» fragte sie, während sie sich entspannt in seine Arme gab und voller Vergnügen mit der Hand über seinen muskulösen Rücken fuhr.

«Natürlich. Ich kann überall schlafen. Und weil ich seit drei Nächten nicht dazu gekommen bin, habe ich geschlafen wie ein Fels.»

«Stein», verbesserte ihn Phryne geistesabwesend, als sein geübter Mund sich zu ihrer Brust vorarbeitete und sie spürte, wie ihr Körper langsam darauf ansprang. «Küß mich noch einmal», verlangte sie, und Sascha küßte sie auf den Mund. Als sie drei Minuten später nach Luft schnappen mußte, war sie durch die geübten Hände dieses wunderschönen, unanständigen Jungen und die Berührungen seines sanften Munds so erregt, daß es ihr auch nichts ausgemacht hätte, sich mit ihm mitten auf die Swanston Street zu legen.

Er rieb sein Gesicht an ihren Brüsten, schnappte im Vor-

beigleiten mit dem Mund nach ihren Brustwarzen, und
während sie ihn an sich zog, ihn auf sich legte und ihre starken Schenkel um seine Taille schlang, streichelten seine
Hände sie überall.

Als Sascha auf sie hinuntersank, kam ihr schlagartig in
den Sinn, daß sein Alter ego der Tod war, und sie vereinigte
sich mit ihm in einer seltsamen Mischung aus Schrecken
und Ekstase. Ihr Liebesakt war ein Zusammenspiel der
Kräfte. Die kurzen Momentaufnahmen, die Phryne in dem
großen Spiegel erhaschte, waren wie kleine Detailaus-
schnitte aus einem erotischen französischen Kupferstich:
Saschas Mund, der sich langsam über eine Brustwarze
senkte, die ihn angespannt erwartete; das kurze Aufblitzen
zweier wie zusammengeschweißt ineinander verschlunge-
ner Schenkel; ihre Brust, die sich gegen seinen Oberarm-
muskel wölbte, der von einer langen roten Linie gezeichnet
war.

Schließlich fielen sie einander reichlich verausgabt in die
Arme.

«Siehst du», bemerkte Sascha zufrieden, «wie ich gesagt
habe. Großartig.»

«Ja», stimmte Phryne zu.

«Vielleicht wirst du mein Kind zur Welt bringen», sagte
Sascha. Phryne lächelte. Sicher, sie hatte sich von der Leidenschaft davonreißen lassen, aber ihr Diaphragma befand
sich schon seit gestern nacht an seinem Platz. Sie hatte ihr
Vermögen, der Versuchung zu widerstehen, immer schon
sehr realistisch eingeschätzt. Sie antwortete nicht. Sascha,
der so lange geschlafen hatte, war nun hellwach. Sie warf
ihm einen Morgenmantel zu und sagte: «Möchtest du ein
Bad nehmen? Dot wird bald zurück sein.»

«Du fürchtest dich, dein Dienstmädchen vor den Kopf zu stoßen?» fragte Sascha verwirrt. «Nein, ich möchte nicht baden. Ich möchte deinen Geruch auf meiner Haut behalten. Meine Schwester wird eifersüchtig sein. Auch sie wollte dich!»

«Du bist mir lieber», sagte Phryne und beugte sich über das Bett, um ihn zu küssen. Er sah aus wie ein Engel.

Sascha zog sein Trikot an, das Dot gestopft und gewaschen hatte. Phryne zog sich ein Hauskleid über und bestellte Tee. Das Tablett kam und mit ihm ein besorgter Hoteldirektor.

«Verzeihen Sie, Miss Fisher, aber unten wartet ein Polizeibeamter, und er hat einen Durchsuchungsbefehl für Ihre Suite, um ... um ... nach Drogen zu suchen! Ich glaube nicht, daß er sich zurückhalten läßt. Ich werde ihn also in ungefähr zehn Minuten heraufbringen. Vielleicht könnten Sie bis dahin alles in Ordnung bringen, wenn sie so freundlich sein wollen.»

Mit einer sparsamen Geste, die sich auf Sascha und die herumliegenden Kleider bezog, ging der Direktor. Phryne goß sich Tee ein.

«Was soll ich tun?» fragte Sascha. Er saß zurückgelehnt in seinem Stuhl und schien von dem bevorstehenden Überfall unberührt zu sein. «Machst du dir immer noch Gedanken, daß deine Zofe von meiner Anwesenheit schockiert sein wird?»

«Nein», sagte Phryne. «Und da kommt sie auch endlich.»

Dot öffnete die Tür, schloß sie hinter sich und lehnte sich dagegen, als ob sie bereit wäre, sie mit ihrem Körper zu verteidigen.

«Die Polizei», keuchte sie. «Dieser hochnäsige Direktor hat gesagt, die Polizei wartet unten! Er hat einen richtigen Streit mit ihnen in seinem Büro. O Miss, was sollen wir nur tun?»

«Als erstes behalten wir besser einen kühlen Kopf. Dann schauen wir nach, ob etwas hier versteckt worden ist.»

«Was könnte das sein?» stammelte Dot und starrte wild im Zimmer umher.

«Kleine Päckchen mit weißem Pulver», sagte Phryne. «Wo würdest du so etwas in diesem Zimmer verstecken, Dot?»

Statt zu antworten, nahm Dot sich einen Stuhl mit gerader Lehne, stieg hinauf und sah auf dem Kleiderschrank nach. Sie lehnte sich gefährlich weit vor, streckte die Hand aus, griff zu und zeigte ihren Fund Phryne. Ein weiteres knirschendes Stoffpäckchen.

Phryne verlor keine Zeit damit, es hinunterzuspülen, wobei ihr der Gedanke kam, daß ganz Melbourne in einen monumentalen Rausch verfallen würde, falls sich die Abwässer mit dem Trinkwasser vermengen sollten.

«Dot, du bist spitze. Und jetzt räumen wir schnell noch ein bißchen auf, damit der Polizeibeamte keinen Schock bekommt.»

«Was ist mit ihm?» erkundigte sich Dot.

«Er bleibt, wo er ist», bestimmte Phryne. «Auf eine französische Farce lasse ich mich nicht ein.»

Das war zu hoch für Dot, aber sie begann eiligst in Aktion zu treten, raffte Ladungen von Kleidungsstücken zusammen, machte mit einigen geübten Handgriffen das riesige Bett und hängte die Kleider und Mäntel auf. Innerhalb von fünf Minuten erweckte die Suite äußerlich einen durch und durch respektierlichen Eindruck, der über die hektische Betriebsamkeit, die ihn hervorgerufen hatte, hinwegtäuschte. Sascha trank lächelnd seinen Tee.

Als es wie erwartet an der Tür klopfte, ging Dot, um zu öffnen. Sie riß schwungvoll die schwere Eichentür auf und begrüßte den Direktor und den Polizisten mit eisiger Reserviertheit. Phryne war beeindruckt.

«Das ist Honourable Phryne. Miss Fisher, die Herren haben einen Durchsuchungsbefehl. Ich habe ihn überprüft, und es besteht kein Zweifel, daß die Herren Polizisten aus der Wache in der Russell Street sind und daß sie einen gültigen Durchsuchungsbefehl besitzen», sagte der Direktor, während sein schweifender Blick anzeigte, daß er offensichtlich vom Verschwinden der Bohémienzustände angetan war.

Phryne stand in ihrem steifen Seidenbrokatkleid, das bei jeder Bewegung raschelte, langsam vom Sofa auf. Sie bedachte den Direktor mit einem anerkennenden Nicken, weil er ihr mit dem Vorwand, die Polizisten und den Durchsuchungsbefehl zu überprüfen, eine Verschnaufpause eingeräumt hatte. Er lächelte kühl.

«Nun, meine Herren, würden Sie mir bitte Ihre Namen nennen und mir sagen, wonach Sie suchen?» fragte sie freundlich.

Der größere und jüngere der beiden sagte steif: «Ich bin Kriminalinspektor Robinson, und das ist Oberwachtmeister Ellis.»

«Wir haben den Befehl, diese Suite nach Drogen zu durchsuchen. Polizistin Jones wird die Damen durchsuchen, und wir nehmen uns den Herren hier vor. Ihr Name, Sir?»

«Sascha de Lisse», sagte Sascha höflich. «Sehr erfreut.»

Das schien Kriminalinspektor Robinson aus der Fassung zu bringen. Er schüttelte Saschas ausgestreckte Hand und wußte danach nicht so recht, was er mit ihr anfangen sollte.

«Wonach suchen Sie?» fragte Phryne noch einmal.

«Nach Drogen», antwortete der Oberwachtmeister bedeutsam. «Wir haben den Hinweis erhalten …» Er brach ab, als sein Chef ihm in die Rippen stieß, doch Phryne machte eine Handbewegung.

«Durchsuchen sie unbedingt alles», sagte sie lächelnd. «Soll ich Ihnen Tee bestellen?»

«Das ist nicht nötig», sagte Robinson. Er und der Oberwachtmeister begannen mit der Durchsuchung, und Phryne, Dot und Sascha sahen ihnen dabei zu. Die beiden Polizisten fühlten sich sichtlich unwohl, arbeiteten aber gründlich.

Der Oberwachtmeister war älter als Robinson, den Phryne auf ungefähr dreißig schätzte. Ellis war klein und unförmig und mußte wohl gerade die Mindestgröße messen. Er hatte schwarze Haare, die von der niedrigen Stirn glatt zurückgeklatscht waren, und in seinen Augen lag etwas, das Phryne beunruhigte. Für jemanden, der sich nicht sicher sein konnte, etwas zu finden, schien er allzu erfreut und selbstsicher zu sein. Sie zog Dot zu sich und wies sie an, Oberwachtmeister Ellis scharf im Auge zu behalten. Dot nickte und biß sich auf die Unterlippe. Phryne tätschelte ihr die Hand.

«Beruhige dich, meine Gute, ich nehme keine Drogen», flüsterte sie und Dot entspannte ihre Lippen so weit, daß sie Phryne ein kurzes, verhaltenes Lächeln schenken konnte.

Sie hatten ihre gesamte Kleidung, das Badezimmer und ihr Schlafzimmer durchsucht und nichts gefunden. Sascha lachte leise über einen stillen Witz. Der Direktor stand steif neben der Tür. Dot und Phryne hatten die Polizisten ins Schlafzimmer begleitet und kamen zurück, als diese begannen, Dots Zimmer und das Wohnzimmer auf den Kopf zu stellen.

Zu allerletzt nahm Wachtmeister Ellis Phrynes Leinenjacke und schüttelte sie. Ein weißes Papierpäckchen, das an beiden Enden rot versiegelt war, purzelte heraus und platzte auf dem Parkett auseinander. Die Augen des Direktors wurden starr. Sascha richtete sich mit herunterklappendem Kiefer auf. Damit war er von jedem Wissen über das eingeschmuggelte Beweisstück freigesprochen. Dot stöhnte auf. Nur Phryne schien unbeteiligt.

«Genau wie sie gesagt hat», rief Ellis aus, während er sich nach dem Päckchen bückte und sich das Pulver in die Hand schaufelte. Der Inspektor sah Phryne an.

«Welche Erklärung haben Sie dafür, Miss?»

«Probieren Sie es, und Sie werden sehen», antwortete Phryne gelassen. «Ich bin in letzter Zeit auf zu vielen Dinnerpartys gewesen. Mensch, das ist Natron», sagte sie munter. «Probieren Sie!»

Der Inspektor leckte einen Finger an und tauchte ihn in das Pulver. Es herrschte absolute Stille, als er den Finger zum Mund führte. Er lächelte.

«Stimmt, es ist Natron», teilte er Ellis mit. «Gut, Miss, jetzt brauchen wir nur noch die Leibesvisitation, und wir verschwinden wieder.»

«Unter einer Bedingung», sagte Phryne und stand auf. «Ich, Mr. De Lisse und Miss Williams werden durchsucht, aber Sie beide auch.»

«Sie möchten mich durchsuchen?» fragte der Inspektor konsterniert. «Wieso?»

«Nur aus einer kleinen Laune heraus», sagte Phryne leichthin. «Werden Sie mir diese kleine Freiheit zugestehen? Entgegen dem Hinweis, den Sie erhalten haben, haben Sie keine Drogen gefunden. Ihr Besuch hat dem teuren Mr. Smythe, dem Direktor dieses ausgezeichneten Hotels, eine Menge Unannehmlichkeiten bereitet. Er wartet nur noch, bis sie verschwinden, um mir dann zu sagen, daß ich es Ihnen gleichtun und in ein weniger gutes Hotel ziehen darf.»

«Dazu möchte ich noch sagen», fuhr Phryne fort, «daß ich noch nie Drogen genommen habe. Eingehende Nachforschungen im Vorweg hätten Sie davon überzeugt. Ich verabscheue Drogen, und als Drogenkonsumentin verdächtigt zu werden, verletzt meine innersten Gefühle. Wenn Sie meiner Forderung nicht nachgeben, werde ich mich über sie beschweren, und zwar so lange, bis Sie beide wieder auf Streife sind und den Verkehr in der Swanston Street regeln. Nun?»

«Ich habe nichts zu verbergen», sagte Robinson. Ellis zog seinen Vorgesetzten am Ärmel beiseite.

«Aber Sir, wir sind Polizisten», stotterte er.

«Das weiß ich», sagte Robinson. «Und?»

«Wir könnten sie verhaften, sie mit auf die Wache nehmen und sie dort durchsuchen», schlug Ellis vor. «Uns zu durchsuchen, das ist nicht richtig.»

Phryne knöpfte ihr Brokatkleid auf.

«Wenn Sie den Versuch machen, mich zu irgendeiner Wache mitzunehmen», sagte sie mit eisiger, unnahbarer Stimme, «dann müssen sie mich so mitnehmen». Sie ließ das Kleid fallen und stand nahezu vollständig entblößt in ihrer ganzen elfenbeinernen Schönheit vor ihnen.

Der Manager wandte den Blick ab und gestattete seinen Lippen ein kleines Lächeln. So leicht ließen sich die Gäste des Windsors nicht ins Bockshorn jagen. Die Polizisten waren ziemlich perplex.

«Na schön, Miss», sagte Robinson. Ellis glotzte Phryne mit offenem Mund an, und sein Vorgesetzter gab ihm einen Stoß in die Rippen.

«Rufen Sie Polizistin Jones», sagte Robinson und gab damit klein bei.

«Die Damen können ins Schlafzimmer gehen, und wir bleiben hier. Mr. Smythe kann uns durchsuchen. Einverstanden, Sir?»

Jones begleitete Phryne und Dot ins Schlafzimmer. Sie war eine schmallippige junge Frau, deren schwarze Haare zu einem Knoten nach hinten gezogen waren. Dot war die erste und legte voll mürrischer Wut jedes einzelne Kleidungsstück ab und nahm sie dann mit eisigem Schweigen wieder an sich.

Phryne mußte lediglich ihr Hauskleid wieder ausziehen. Draußen hörten sie Mr. Smythe höflich sagen: «Und was ist das hier, Oberwachtmeister?» Es folgte ein reißendes Geräusch. Die drei Frauen preßten sich gegen die Schlafzimmertür.

«Was glauben Sie, was geschehen ist?» fragte Dot.

«Sie haben ein kleines Päckchen aus Stoff und Papier bei Oberwachtmeister Ellis gefunden», berichtete Polizistin Jones. «Ich habe diesen kleinen Kriecher nie leiden können. Aber was könnte ihn dazu gebracht haben, etwas so Hirnverbranntes zu tun?»

«Geld», sagte Phryne ruhig. «Das dachte ich mir.» Die Polizistin sah Phryne ins Gesicht.

«Wir haben eine Menge falscher Fuffziger bei uns», sagte sie. «Im großen und ganzen sind wir eine gute saubere

Truppe. Wenn Sie einen Schlechten ausgesiebt haben, sind wir Ihnen sehr dankbar.»

Zu Phrynes eigener Überraschung gaben sie sich die Hand, denn noch vor zehn Minuten hätte Phryne Geld darauf gewettet, daß das nie geschehen würde.

«Können wir herauskommen», fragte Jones durch die Tür, und Inspektor Robinson willigte barsch ein. Dot, Phryne und Polizeimeister Jones traten ein und wurden mit einem ungewohnten Anblick konfrontiert. Der Direktor und Robinson hielten einen halbnackten Wachtmeister am Arm und schwangen drohend eines der kleinen Päckchen, die Phryne bis zum Überdruß bekannt waren. An dem Päckchen hingen noch zwei lange Klebestreifen.

«Sehen Sie? Er hatte es mit dem Klebeband auf der Brust befestigt. Und das nächste Mal, wenn Sie in meinem Hotel einen Durchsuchungsbefehl ausführen, Inspektor, werde ich vor Eintritt jeden Polizisten durchsuchen lassen. So etwas ist mir noch nie untergekommen. Unschuldige Gäste wurden drangsaliert, und der Ruf der Polizei von Victoria ist aufs Schlimmste beschädigt worden.»

Phryne pflichtete ihm bei. «Richtig, und ich wage mir gar nicht auszumalen, was der Abgeordnete Mr. Robert Sanderson sagen wird, wenn ich ihm davon erzähle. Wirklich, mehr als schockierend. Meine Gäste und mein Dienstmädchen und persönliche Vertraute mußten sich ausziehen und wurden durchsucht, wie es normalerweise nur mit Schwerverbrechern geschieht, von meiner Person ganz zu schweigen. Was werden Sie jetzt unternehmen?»

Kriminalinspektor Robinson schüttelte voller Grimm seinen Kollegen. «Reden Sie, Sie Rindvieh! Wer hat Sie bezahlt? Warum haben Sie das getan, Ellis? Sie haben Ihren

Eid mißachtet, Sie werden aus der Polizei entlassen; Sie sind doch verheiratet und haben vier Kinder, wovon wollen Sie dann leben? Los, heraus damit!»

Ellis setzte zum Sprechen an, würgte und schüttelte den Kopf. Robinson schlug ihn hart über den Mund. Dot beobachtete alles regungslos. Polizistin Jones saß gelassen da. Sascha sah amüsiert drein, so, als handele es sich um ein belangloses Stück, das ihm zum Genuß aufgeführt wurde. Mr. Smythe gab Ellis Arm frei und trat einen Schritt zurück. Er mißbilligte die Ausübung körperlicher Gewalt.

Ellis spuckte Blut und sagte: «Es war eine Frau.»

«Jung oder alt? Irgendein Akzent?»

«Ich weiß nicht, es war am Telefon. Mir ist kein Akzent aufgefallen. Sie sagte, fünfzig Pfund, wenn ich ihr den Stoff unterschmuggele.»

«Wo haben Sie ihn bekommen?» fragte Phryne scharf.

«Sie hat ihn geschickt. Nur ein kleines Päckchen. Ich habe es mit den fünfzig Pfund beim Postamt abgeholt.»

«Welches Postamt?»

«Beim Hauptpostamt, Sir, sie sagte –»

«Sie sagte was?»

«Das sie meine Frau und meine Kinder umbringen würde, wenn ich es nicht tue.»

«Und das haben Sie geglaubt?» zischte Robinson. Ellis schien überrascht.

«Zunächst nicht, Sir, aber sie sagte, sie würde mir einen Beweis liefern. Erinnern Sie sich an die Kinder, die mit durchgeschnittenen Kehlen in ihren Betten neben ihrer ermordeten Mutter gefunden wurden? Das war ihre Arbeit, sagte sie, und Sie wissen, daß wir für diese Tat weder einen Verdächtigen noch ein Motiv haben.»

«Sie Dummkopf», schnauzte Robinson. «Der Ehemann hat es getan. Er ist gerade in der Russell Street und packt aus.»

«Sind Sie sicher, Sir?»

«Natürlich. Ich habe Ihnen doch davon erzählt, Sie Kretin.»

«Ich ... ich habe ihr geglaubt ...», stammelte Ellis und fing an zu weinen.

Inspektor Robinson ließ seinen Arm fallen und wandte sich angewidert ab.

«Gnade Ihnen Gott», rief er aus.

«Schenk dem Oberwachtmeister etwas Tee ein, Dot. Hier, nehmen Sie mein Taschentuch und schnauben Sie sich aus. So ist's gut, und jetzt trinken Sie das», und Phryne verabreichte ihm Tee und ein Gläschen Bénédictine. Er trank und schneuzte sich.

Ein paar Minuten später hatte er sich soweit gefaßt, daß er sprechen konnte. «Ich hatte also das Päckchen und wollte es ihr unterschieben. Ich glaubte ihr, Sir. Ich brauchte das Geld, meine Frau muß operiert werden ... bitte, Sir, werfen Sie mich nicht raus. Wir wüßten nicht, wovon wir leben sollten.»

Er weinte jetzt ungehemmt. Phryne nahm den Inspektor beiseite. Er folgte ihr, immer noch wutschnaubend.

«Wird diese Sache Konsequenzen haben?»

«Selbstverständlich, er hat sich erpressen lassen.»

«Ja, aber unter großem persönlichem Druck. Können Sie nicht einen vertraulichen Bericht schreiben und ihn behalten, statt ihn wirklich zu entlassen? Verstehen Sie, wenn Sie ihn wirklich auf die Straße setzen, wird es für denjenigen, der sich die Sache ausgedacht hat, ein Zeichen sein, daß das

Ganze fehlgeschlagen ist, und ich möchte nicht, daß das geschieht. Kapiert?»

«Ja. Aber was haben Sie getan, um solchen Ärger auf sich zu ziehen?»

«Eine gute Frage. Ich weiß es nicht. Aber ich werde es herausfinden. Wollen wir zusammenarbeiten? Sie entlassen Ellis noch nicht, und ich werde Ihnen sagen, wen sie verhaften sollen, wenn ich meiner Sache sicher bin.»

«Gefährliche Sache, Miss.»

«Richtig, aber nur ich kann sie durchführen, und es ist allemal besser, als sich zu langweilen. Kommen Sie, seien Sie kein Spielverderber. Denken Sie daran, daß Sie einen der führenden Kokshändler Melbournes in die Finger bekommen werden.»

«Hm ... Aber nur für kurze Zeit», lenkte er ein, «sagen wir, für eine Woche.»

«Zwei», handelte Phryne.

«Einigen wir uns in der Mitte. Zehn Tage.»

«Abgemacht. Sie werden für zehn Tage stillhalten, und ich informiere Sie, wenn Sie ihn zu Fall bringen können. Kommen wir ins Geschäft?»

«Abgemacht», stimmte Robinson zu, «ich werde mit Polizistin Jones sprechen. Ellis ist ein Dummkopf, aber bis jetzt kann ich sicher sagen, daß er eine ehrliche Haut war. Das ist meine Telefonnummer, Miss Fisher. Geraten Sie nicht zu tief in den Schlamassel, einverstanden?»

«Das bin ich schon», sagte Phryne. «Mr. Smythe, ich habe die Entschuldigung des Inspektors angenommen und denke, wir können die Sache als erledigt betrachten. Gute Nacht, meine Herren», sagte sie beiläufig, als Robinson, Ellis und der Hoteldirektor davongingen. Sie schloß hinter ihnen die Tür und sank auf das Sofa, wo Sascha einen Arm um sie legte.

«Dot», rief Phryne, «bestell mehr Tee und komm und leiste uns Gesellschaft. Ich hoffe, das war für heute abend alles an Unterhaltung.»

Phryne sagte nichts weiter, bis Dot widerwillig kam, sich neben sie setzte und ihre Uniformjacke abbürstete, als hätte die Berührung der Polizistin sie beschmutzt.

Sascha goß ihr Tee ein, lehnte sich wieder zurück und legte tröstend einen starken Arm um Phryne. Die junge Frau zitterte, und Sascha fragte sich, ob die Prinzessin Phrynes Stärke überschätzt hatte. Dot trank argwöhnisch ihren Tee.

«Nun», sagte Phryne mit vor Aufregung zitternder Stimme. «Jetzt sind sie hinter mir her, genau wie hinter Sascha. Ist das nicht hervorragend?»

«Ganz hervorragend», murmelte Sascha ironisch. «Ausgezeichnet!»

«Was meinen Sie, Miss?» fragte Dot und stellte klappernd ihre Teetasse ab. «Wer ist hinter Ihnen her? Die Person, die das Päckchen über ihrer Garderobe versteckt hat? Den würde ich nur zu gerne in die Finger bekommen», fuhr sie fort und biß dann rachsüchtig in ein Stück Teekuchen. «Danach wüßte er, daß er gekämpft hat.»

«Allerdings. Sascha, es ist jetzt an der Zeit, daß du uns alles, was du über diesen Schneekönig weißt, erzählst. Bitte fang an», befahl Phryne. Sie war ganz gelassen. Sie zitterte vor Erregung, nicht aus Angst. Sie amüsierte sich prächtig.

Gehorsam machte es sich Sascha an ihrer Seite bequem.

«Vor Kriegsende kamen wir nach Paris, ich war damals noch ein Kind und erinnere mich nicht mehr viel davon, nur noch an das Getöse der großen Gewehre, die immer näher

149

kamen, und daß Mutter sich fürchtete und wir nicht schlafen konnten. Ich erinnere mich auch nicht mehr an Rußland, das wir im Winter verließen – höchstens noch ein bißchen an die Kälte, als ich ganz klein war, und an den Schnee
und den eisigen Wind. In Paris war es auch kalt. Mama und
Großmutter kamen 1918 nach Paris, kurz bevor die Frie-
densverträge unterzeichnet wurden. Sie hatten eine lange
Reise hinter sich, denn sie waren nach Archangelsk geflo-
hen, wo die Engländer waren; einen Großteil des Wegs waren sie zu Fuß gegangen.»

«Das ist alles sehr eindrucksvoll und wunderbar film-
tauglich, aber zurück zum Thema, wenn ich bitten darf»,
sagte Phryne schnippisch, und widerstand der hypnotischen
Anziehungskraft der braunen Augen und der honigsüßen
Stimme.

«Geduld», sagte Sascha lächelnd und kein bißchen belei-
digt. «Wenn du mich unterbrichst, verliere ich mein Gedächtnis. Also! Wir waren alle in Paris, mein Vater war von
den Revolutionären umgebracht worden, und Mama verkaufte einen Teil des Familienschmucks, um uns durchzu-
bringen. Die Tscharnov-Smaragde und viele andere wunderschöne Steine hat sie in jenem Winter verkauft. Wir
suchten nach einem Gönner, und nicht Mama, sondern
Großmama fand einen – einen englischen Lord, und aus
Liebe zu ihr besorgte er uns eine Wohnung und ernährte
uns, als wären wir seine eigenen Kinder gewesen – wie
Mama und ich darüber gelacht haben!»

«Gut und weiter?» fragte Phryne ungeduldig. Dot starrte
Sascha an, als käme er von einem anderen Planeten.

«Nun, wir lebten bei dem englischen Lord, bis wir sech-
zehn waren, dann wurden wir auf eine Schule in die Schweiz

geschickt. Elli und ich waren ein Jahr lang fort, und Großmama schrieb, daß in Paris alles bestens wäre, und so frag-
ten wir nicht weiter nach. Als wir dann vor zwei Jahren zu-
rückkamen, erfuhren wir, daß der alte Lord gestorben war –
das war traurig, denn er war ein großzügiger Mann – und
daß auch Mutter sterben würde. Wir konnten es ihr anse-
hen. Sie war kokainsüchtig geworden, und da der alte Lord
Mutter eine Menge Geld hinterlassen hatte, konnte sie soviel davon kaufen, wie sie wollte. Sie schnupfte Händevoll
davon, und nach jeder Dosis strahlte sie und war glücklich,
so wie unsere alte Mama. Doch dann wurde sie mürrisch
und verbittert und schrie und bekam Wutausbrüche. Es war
immer das gleiche. Sie schlief nicht mehr. Sie flehte uns an,
sie zu töten.

Doch das war nicht mehr nötig, und so wurde meine Seele
gerettet, denn nach ein paar Wochen hätte ich es fast getan», gestand Sascha. Die Tränen liefen ihm ungehindert
über die Wangen. «Sie starb. Doch bevor sie starb, baten
wir sie inständig, uns zu sagen, wer ihr das angetan und sie
zu dieser todbringenden Droge verführt hatte. Sie konnte
uns nur sagen, daß der Schneekönig sie ihr umsonst gegeben
hatte. Sie hatte ihn für einen freundlichen Menschen gehalten – doch dann wurde der Preis höher und immer höher.
Sie hatte ihren ganzen Schmuck verkauft. Doch Großmama
wußte, daß ein Teil des Schmucks nicht im Pfandhaus gelan-
det war. Wir erfuhren, daß der Schneekönig Gefallen an edlem Schmuck hatte, und zumindest die große Zarenhals-
kette war ganz und unversehrt an ihn gegangen. Und die
Perlen der Prinzessin.»

Irgend etwas in Saschas Erzählung traf Phrynes Intuition
so schlagartig, als hätte man ihr eine Lanze in den Magen

gestoßen. Er hielt inne und spürte, wie sich ihre Muskeln anspannten, doch konnte sie ihren Gedanken noch nicht klar fassen. Sie bat ihn mit einer Geste, fortzufahren.

«Und ein Diamantcollier, von dem gesagt wird, es wäre für Katharina die Große gemacht worden. Großmama sagte uns, wir sollten die feine Pariser Gesellschaft so lange unter die Lupe nehmen, bis wir die Kette eines Tages entdecken würden und unseren Mann hätten. So entstand *Le Théâtre Masque*. Meine Schwester und ich tanzten schon zusammen, als wir Kinder waren, und außerdem hatten wir keinen Beruf. Wir tanzten die alte Geschichte vom Tod und dem Mädchen, und ganz Paris war fasziniert. Abend für Abend spielten wir in der Alten Oper vor ausverkauftem Haus, und Abend für Abend suchten wir an den schmuckbehängten Hälsen der Damen nach der Kette der Zarin Katharina. Nach einiger Zeit verdienten wir sogar etwas dabei», bemerkte Sascha ehrlich erstaunt. «Immer wieder sahen wir uns um. Und dann, endlich, sahen wir sie. Am Hals einer Halbweltdame, einer nichtswürdigen Frau. Ich stellte sie zur Rede, aber sie sagte, sie hätte sie nur geliehen; der Besitzer sei ein amerikanischer Parvenu. Ich sprach mit ihm, und schließlich sagte er mir, von wem er die Kette gekauft hatte; und nun bin ich hier, um den Mann zu finden und ihn zu töten ... Dürfte ich noch etwas Tee haben?»

«Der Name, Sascha, der Name!»

«Aber wenn ich dir den Namen sage, wirst du ihn vielleicht warnen, und ich werde mich nicht mehr rächen können», beklagte sich Sascha. «Und die Prinzessin würde mir bei lebendigem Leibe die Haut abziehen.»

«Hm, aber wenn du mir nicht den Namen nennst, werde ich dir die Haut abziehen, und ich bin näher dran als die

Prinzessin», sagte Phryne, fletschte die Zähne und griff nach einem Obstmesser, als wollte sie mit dem Häuten augenblicklich beginnen. Sascha zuckte anmutig mit den Achseln.

«Er heißt Andrews», sagte er wegwerfend. «Wir sahen den Mann bei der Abendgesellschaft, wo ich das Vergnügen deiner Bekanntschaft hatte. Er scheint nicht klug genug, um unser Schneekönig zu sein. Aber das hat der Amerikaner uns gesagt. Und ich sah den Kaufbeleg. Er hat ein Vermögen für diese einzigartige Halskette hingelegt.»

«Gibt es noch andere Schmuckstücke deiner Mutter, deren Verbleib ungeklärt ist?» fragte Phryne.

Sascha nickte. «Ein paar. Eine große Diamanttraube, eine Fabergé-Brosche mit Diamanten und Emaille in Form eines fliegenden Vogels und eine lange rosa Perlenkette. Bis jetzt haben wir sie nirgends entdecken können.»

«Ich kann nicht glauben, daß es Andrews ist. Dazu ist er nicht clever genug», stieß Phryne hervor. «Weiter. Warum hat die Prinzessin mich mit in Madame Bredas Badehaus genommen?»

«Um dir ihr System zu zeigen. An dem Abend, als ich dich traf, bin ich von seinen Häschen verfolgt worden; ich war bei einer Übergabe gewesen.»

«In Toorak?» stieß Dorothy entsetzt hervor. Phryne dachte darüber nach.

«Nun ja, daß hört sich seltsam und ziemlich unwahrscheinlich an, Dot, aber es sind schon seltsamere Dinge geschehen, wenn auch nicht viele. Weiter, Sascha.»

Sascha nannte ihr willig die Adresse, die Phryne in ein kleines, ledernes Notizbuch schrieb.

«Woher wußtest du, daß die Übergabe dort stattfinden sollte?»

«Das Dienstmädchen aus Madame Bredas Badehaus hat es der Prinzessin erzählt; Gerda heißt sie, glaube ich. Mit einer Dummheit, die ich gar nicht beschreiben möchte, ließ ich mich von ihnen erwischen.»

«Wer war der Überbringer?»

«Wie es aussah, Madame höchstpersöhnlich. Zwei Männer folgten ihr in einigem Abstand; sie waren es, die mich verfolgten. Madame sucht ihre besten Massagekunden zu Hause auf; während sie dort sind, verteilt sie ihre ‹Schönheitsmittel›.»

«Diese Männer kennen Sie?» fragte Dot aufmerksam.

Sascha nickte. «Ja, sie kennen mich. Anscheinend beschützen sie Madame, während sie den Schnee überbringt; die meiste Zeit sind sie nicht bei ihr. Glücklicherweise sind sie nicht besonders intelligent.»

«Wohl nicht», stimmte Phryne zu, während sie an Gangster Eins und Gangster Zwei zurückdachte. Sascha stand auf und reckte sich.

«Soll ich Sie nun verlassen, Gnädigste?»

Phryne streckte ihre Hand nach Sascha aus. Sie fühlte sich sehr zu ihm hingezogen, doch traute sie ihm nicht, wenn sie ihn nicht im Auge haben konnte.

«Nein. Bleib bis morgen früh», sagte sie lächelnd. «Es ist zu spät, um durch die Straßen zu schlendern. Wird deine Familie sich nicht um dich sorgen?»

«Nein. Meine Schwester wird wissen, daß ich wohlauf bin. Wir sind Zwillinge.»

Er verbeugte sich flüchtig vor Dot, sammelte Phrynes Herrenmorgenmantel auf und ging ins Badezimmer. Dot und Phryne sahen einander an.

«Wirst du jetzt zu deiner Mutter zurückgehen, wo du

über meine wahre Lasterhaftigkeit Bescheid weißt?» fragte Phryne mit einem Lächeln. Dot grinste.

«Sie sind eben anders, Miss – außerhalb aller Regeln. Und er ist der Scheich. Ist vielleicht wirklich Glück, so einen zu bekommen. Ich gehe ins Bett, es ist spät.»

«Du hast recht – gute Nacht, Dot.»

«Gute Nacht», antwortete Dot, als sie die Tür schloß. Phryne zog sich in ihr Bett zurück, um sich mit Sascha und ihrer Lebensphilosophie für die Herausforderungen des morgigen Tages zu wappnen. Sie zweifelte nicht daran, daß es davon einige geben würde.

ZEHN

Schnuppert mal, schnuppert mal, schnuppert mal an mir
Schnuppert alle mal an mir ...

Der Cocaine Blues
altes amerikanisches Lied

Die bevorstehenden Herausforderungen kündigten sich um acht Uhr morgens in Gestalt von Dr. MacMillan an. Dot, die bereits auf war, ließ die aufgebrachte Frau herein und klopfte vorsichtig, um Phryne aufzuwecken, die, noch im Halbschlaf, fluchte und in Saschas Armen blieb, aus denen sie sich erst nach geschlagenen fünf Minuten losreißen konnte. Schließlich kam Dot mit zwei Tassen Tee herein, und Phryne stürzte ihren hinunter, wühlte sich die schwarzen Haare zurecht und stolperte ins Badezimmer.

Zwanzig Minuten später kam sie, ordentlich angezogen, wieder hervor, verlangte nach Aspirin und kam Elizabeth MacMillan mit einer matten Geste zuvor.

«Elizabeth, ich kann mich jetzt unmöglich geistig anspruchsvollen Dingen widmen», ächzte sie. «Dot, besorge uns schwarzen Kaffee.»

Sie zündete eine Zigarette an und ließ sich auf das Sofa sinken. Die Ärztin musterte sie streng.

«Wenn Sie sich die Nächte weiter um die Ohren schlagen und den Tag mit schwarzem Kaffee und Zigaretten beginnen, werden Sie in einem Monat bei mir landen, junge Dame», bemerkte sie. «Und Sie werden vorzeitig ein häßliches altes Weib sein. Ich habe Ihnen etwas Wichtiges mitzuteilen, und eine Frau in den Wehen wartet darauf, daß ich zurückkomme. Reißen Sie sich also zusammen, wenn ich bitten darf!»

Phryne trank von ihrem Kaffee. Ihre Augen verloren ihren Schleier; sie war wach und aufmerksam.

«Entschuldigen Sie mein abscheuliches Benehmen, Elizabeth! Bitte, fahren Sie fort!»

«Diese Päckchen, die Sie mir geschickt haben. Was wollten Sie damit?»

«Wieso? Was war drin?»

«In diesem hier», sagte Dr. MacMillan, und legte das rot versiegelte Apothekenpäckchen auf den Tisch, «ist Natriumchlorid: gewöhnliches Salz. In diesem hier», sie legte das Stoffpäckchen hin, «ist reines Kokain. Wo Sie es herhaben, geht mich nichts an, aber ich rate Ihnen, sich vorzusehen, meine Liebe. Diese Menschen haben den Ruf, nicht gerade zimperlich zu sein.»

«Davon hörte ich», murmelte Phryne. Das kleine Päckchen war ihr in die Jackentasche gesteckt worden, während sie bei Madame Breda war, und es handelte sich um reines Kokain. Doch in dem großen Päckchen, das sie von der Princesse de Grasse als Kokain erhalten hatte, war Salz.

«Interessantes Salz», fügte die Ärztin hinzu, während sie sich geräuschvoll erhob. «Beinhaltet allerlei Spurenelemente. Ich vermute, daß es sich um Salz aus dem Toten Meer handelt – in einigen Schönheitssalons wird es für Salzwasserbäder verwendet, wissen Sie. So, ich muß gehen.»

«Bleiben Sie wenigstens auf eine Tasse Tee, Elizabeth», protestierte Phryne, aber die ältere Frau schüttelte den Kopf.

«Biologische Vorgänge warten nicht bis nach dem Tee», warf sie ein und ging. Auf dem Hinausweg ging sie an Mr. Smythe vorbei.

Der Hoteldirektor war höflich, aber entschieden. Ihm war klargeworden, daß Miss Fisher sich bezüglich des gestrigen abendlichen Polizeibesuchs keinerlei Vergehen hatte zuschulden kommen lassen. Er war überaus erfreut, daß alles so gütlich ausgegangen war. Doch durfte das nicht wieder vorkommen. Noch ein derartiges Vorkommnis, und er sähe sich leider, zum besten seines Hotels, dazu gezwungen, Miss Fisher aufzufordern, sich eine andere Unterkunft zu suchen. Phryne versicherte ihm lächelnd, daß sie keine weiteren Vorkommnisse dieser Sorte erwarte und daß sie ein angemessenes Schmerzensgeld zur Rechnung hinzufügen würde, um seine verletzten Gefühle zu beruhigen. Mr. Smythe entfernte sich besänftigt und zuvorkommend und schloß leise die Tür hinter sich.

«Schnell, Dot – schließ die Tür ab! Sonst kreuzt hier womöglich noch jemand auf und will sich vor dem Frühstück Gehör verschaffen», rief Phryne und fügte dann hinzu: «Mach niemandem außer dem Zimmerservice auf! Sascha! Zeit zum Aufstehen!»

Der junge Mann, der ganz offensichtlich wieder eingeschlafen war, sprang aus dem Bett und war binnen einer Minute angekleidet. Er setzte sich zu Phryne aufs Sofa und sah faszinierend wach und unzerknittert aus. Phryne sah ihn verstimmt an.

«Wie kannst du um diese Uhrzeit nur so frisch aussehen? Das ist unnatürlich. Abscheulich. Wie auch immer, was hast du heute vor?»

«Ich muß ins Hotel; meine Schwester und ich haben

heute um zehn eine Matinee, noch eine um drei und heute abend eine Vorstellung im Tivoli. Ich glaube, die Prinzessin würde sich gerne mit dir unterhalten», setzte er hinzu.

«Und ich möchte mich mit ihr unterhalten. O je, wer ist das jetzt?»

Dot reagierte auf das Klopfen und kam mit einem Frühstückswagen zurück.

«Endlich», sagte Phryne und nahm sich ein gekochtes Ei.

Gegen neun begleitete sie Sascha die Treppe hinunter und um die Ecke zu Scott's Hotel. Auf dem Weg nach draußen wurden ihr an der Rezeption zwei Briefe überreicht: ein dünner blauer Umschlag mit Goldrand und ein dicker weißer ohne jegliche Verzierung. Sie steckte sie in ihre Handtasche, um sie vor Sascha zu verbergen und sie später zu lesen. Phryne hatte nicht vor, all ihre Informationen mit jemandem zu teilen. Für den Fall, daß sie innerhalb von drei Stunden nicht zurück war, hatte Dot ihre Anweisungen und die Telefonnummer des bewunderungswürdigen Polizeibeamten erhalten. Sascha bot ihr seinen Arm an, und Phryne ließ ihre behandschuhte Hand zwischen seinen Ellbogen und seine muskulöse Seite gleiten. Er war wirklich ungemein attraktiv.

Er schien ihre Gedanken zu erraten, denn seine Mundwinkel verzogen sich zu einem vertraulich selbstgefälligen Lächeln, das Phryne bei jedem anderen Mann überaus verärgert hätte. Bei Sascha jedoch war es liebenswert. Sein Stolz hatte nichts von einem männlichen Eroberungsgehabe, sondern es war der kindliche Stolz eines Schauspielers, der von seinem wohlerzogenen Publikum seinen verdienten Applaus entgegennimmt. Die Sonne schien schwach und umgab Phrynes glänzendes Haar spielerisch mit einer Haube aus rötlichem Licht. Sie erreichten das Scott's, das zwar nicht der letzte Schrei, aber ein angesehenes Hotel war. Der Portier musterte Saschas Kostüm mit einem Ausdruck tiefster Mißbilligung, öffnete jedoch mißmutig die Tür und ließ ihn passieren. Phryne gab ihm kein Trinkgeld, was seine üble Laune nur verstärkte.

Als Sascha in das Zimmer stürmte, sahen die Prinzessin und Elli, die gerade einen Haufen Shillinge abzählten, kurz auf und widmeten sich dann wieder ihrer Beschäftigung.

«Mein Junge, du mußt baden und dich umziehen», fuhr ihn die Prinzessin an. «In einer Stunde beginnt die Vorstellung. Elli, sammelte die Münzen zusammen und legte sie fort. Setzen Sie sich doch. Miss Fisher. Tee?»

Phryne willigte ein, nahm drei Paar laufmaschige Strümpfe von einem Sessel und setzte sich.

Die Prinzessin füllte Tee aus dem Samowar in eine Tasse aus Knochenporzellan und reichte sie ihr, während Elli die Münzen in einen weichen Beutel schüttete und in ein anderes Zimmer verschwand, wahrscheinlich, um Sascha mit einem frischen Trikot zu versorgen. Phryne fiel die Totenmaske ein und holte sie aus ihrer Manteltasche. Die Prinzessin riß sie an sich und deutete mit einem langen knochigen Finger auf die Seite mit den roten Spuren.

«Sie?» Ihre Stimme klang scharf. Phryne machte eine schnelle Handbewegung hinüber zu dem anderen Zimmer.

«Er», erwiderte sie ebenso bestimmt.

Das Gesicht der alten Frau schien in sich zusammenzuschrumpfen.

«Ah. Dann wird er es mir erzählen. Sie sind unverletzt?»

«Natürlich», antwortete Phryne. «Auch er ist nicht allzu

schwer verwundet. Nur ein Kratzer am Arm. Nicht schwer genug, um ihn zu behindern.»

«Ha», stieß die Prinzessin schadenfroh hervor. «War er ein angenehmer Zeitvertreib für Sie? Wenn ihn nur jemand heiraten würde. Das ist beinahe sein einziges Talent – das und Tanzen. Wenn wir nicht riesiges Glück haben, wird er als Gigolo enden, und das ist kein Leben für jemanden von adeligem Geblüt. Wie nutzlos wir sind! Mir hat man als Kind überhaupt nichts beigebracht, denn man war der Meinung, daß nur Bauern arbeiteten. Aber ich habe mir selbst einiges beigebracht. Und dann wurden die Töchter des Zaren Krankenschwestern, und so konnte ich noch etwas mehr dazulernen. Jedoch, erst als ich nach Paris kam, entdeckte ich, daß meine profitbringendsten Begabungen die gleichen wie Saschas waren. Ach ja ... alles war so amüsant, und jetzt nimmt vielleicht bald alles ein Ende. Was ist passiert?»

«Er wurde verfolgt. Durch eine List konnten wir entkommen. Prinzessin, wußten Sie, daß es sich bei der Substanz, die Sie mir verkauft haben, um Salz handelt.»

Das faltige Gesicht zeigte keine Gemütsregung, doch die Stimme senkte sich um eine halbe Oktave, und sie sagte langsam: «Salz? Dafür habe ich nicht bezahlt. Was spielt Gerda für ein Spiel?»

«Ich weiß es nicht. Haben Sie dasselbe schon einmal bei ihr gekauft?»

«*En effet ... mais pas tout-à-fait*», erklärte die Prinzessin. «Sie fand immer eine Ausrede, mir nichts zu verkaufen.»

«Eine Ausrede?»

«Ja. Mal war es, daß Madame sie beobachtete, mal, daß die Lieferung nicht gekommen war oder daß sie bereits alles verkauft hätte ... *Tiens*! Salz! Und wir haben für Kokain bezahlt!»

Die alte Frau begann zu lachen, und nach einem Moment fand auch Phryne es lustig. Sie probierte den Tee; er war sehr stark und schmeckte nach Zitrone, und sie mochte ihn nicht.

Offen war immer noch die Frage nach dem echten Kokainpäckchen, das sie zusammen mit der rätselhaften Nachricht in ihrer Jackentasche gefunden hatte. Und Ellis, der Polizist, hatte «genau, wie sie gesagt hat», hervorgestoßen, als das Apothekenpäckchen aus ihrer Jackentasche gefallen war. Das setzte voraus, daß die Person, die Phryne eine Anklage wegen Drogenbesitzes unterschieben wollte, von den Geschäften der Prinzessin bei Madame Breda gewußt haben mußte. Das begrenzte den Personenkreis auf die Prinzessin und ihr Gefolge, Gerda und möglicherweise Madame Breda – jede von ihnen hätte Phryne das Kokain in die Jackentasche stecken können.

Die Prinzessin hörte auf zu lachen, wischte sich über die Augen und goß sich Tee nach. Sie reckte Phryne ihr Kinn entgegen. «Sind Sie mit Ihren Nachforschungen weitergekommen?» Phryne schüttelte den Kopf.

«Ich habe eine Adresse, oder vielleicht eine Person», sagte die Prinzessin. «Das könnte Ihnen weiterhelfen.» Aus dem Inneren ihrer Kleidung, die zu dieser Stunde aus einem altmodischen Korsettmantel und einem üppigen Abendkleid aus blauem, teilweise verblaßtem Satin bestand, holte sie ein zusammengefaltetes Stück Papier hervor. Phryne faltete es auseinander.

«Neunundsiebzig Little Lon», las sie mit Mühe, was dort mit verschmierter Tinte hingekritzelt stand.

«Wer ist dieser Lon?» fragte die Prinzessin. «Das wüßte ich gerne. Vielleicht ist er unser *succinsin*.»

«*Succinsin*?»

«Schurke.»

«Ich werde ihn finden», versprach Phryne und verabschiedete sich von den de Grasses. Der schöne Sascha küßte sie ganz sanft und bot ihr seine Schwester zum Kuß dar. Da Phryne die beiden einander so ähnlich fand, erhob sie keinen Einspruch. Sie wußte von den Plänen der beiden, sie miteinander zu teilen, und allmählich fand sie den Gedanken fesselnd – doch dann riß sie sich von ihren obszönen Gedanken und von seiner Schwester los. Sie ging mit lauten Schritten über den Flur und schlich dann zurück, um an der Tür zu horchen. Sie hörte die alte Frau das gewohnte Französisch sprechen.

«Wie war sie, hä? War sie zufrieden mit dir?»

«Natürlich», sagte Sascha spöttisch. «Ich habe sie so lange gestreichelt, bis sie geschnurrt hat. Sie hat eine Sinnlichkeit, die bei einer Engländerin ganz ungewöhnlich ist. Ich glaube, ich habe sie betört. Sie wird mich wieder haben wollen.»

«Hat sie dir Geld gegeben?» fragte die Alte mit kratziger Stimme, und Sascha mußte wohl mit den Achzeln gezuckt haben, denn Phryne hörte, wie die alte Frau ihm einen leichten Klaps gab.

«Großmama, sei nicht so raffgierig», protestierte er lachend. «Beim nächsten Mal wird sie bezahlen. Und am Ende wird sie mich bestimmt heiraten.»

Phryne hoffte, daß man ihre knirschenden Zähne nicht durch die Tür hindurch hören konnte.

«Vielleicht. Schließlich sollst du deine Kräfte nicht um-

163

sonst verausgaben. Ich halte sie für großzügig. Ja. Und sie ist klug.»

«Das ist wahr, durch ihre List hat sie mich gerettet – sie denkt bemerkenswert schnell. Ich glaube, sie wird den Schneekönig finden.»

«Ja, sie wird ihn finden, und dann wirst du ihr folgen. Und dann ...» sie gab ein würgendes Geräusch von sich, daß sie wahrscheinlich mit einer anschaulichen Geste ergänzte.

«Rache ist süß, Kinder, und wir werden ihm jeden *centime* abknöpfen, bevor er stirbt. Mit diesem Gewinn wirst du dich zur Ruhe setzen können, und deine Schwester kann aus Liebe heiraten.»

Die alte Frau gackerte vergnügt. Elli protestierte.

«Ich werde nicht heiraten. Ich mag keine Männer. Nimm mich mit, Sascha, wenn du wieder zu Miss Fisher gehst! Bitte, Saschuka, bitte!»

«Ich weiß nicht, ob ihr das gefallen würde», sagte Sascha nachdenklich. «Aber ich werde sie fragen. Ich muß jetzt baden – wir haben unsere Vorstellung. Komm und wasch mir den Rücken», sagte er. Phryne ging lautlos den Flur hinunter und wortlos an dem Portier vorbei.

Phryne merkte bald, daß sie erstens durch ihre Eile allgemeines Aufsehen erregte und es zweitens äußerster Konzentration bedurfte, in ihrem engen Kleid, dem weiten Mantel und den Pumps zu rennen, und dazu fühlte sie sich momentan nicht in der Lage. Deshalb ging sie in ein Café, bestellte sich eine Kanne Tee, zündete sich eine Zigarette an und rauchte. Darum also hatten sie die Russen ausgewählt. Als Lockvogel! Was für hinterhältige Geschöpfe!

Sie trank den Tee zu schnell und verbrannte sich die Zunge. Es hatte keinen Sinn, wütend auf sie zu sein. Doch eine Sache schwor sie sich. Sascha würde keinen Penny aus ihr herausbekommen, und heiraten würde sie ihn auch nicht. Ausgebeutet zu werden war das Schicksal vieler Frauen, und Phryne würde nicht zu ihnen gehören.

Phryne öffnete den ersten der Briefe und sah, daß der feste weiße Umschlag eine untadelig stilvolle Einladung von Mr. Sanderson für heute abend acht Uhr zum Dinner enthielt. Sie legte die Karte in das Kuvert zurück und riß den parfümierten Umschlag auf. Auf einem großen, grellila Briefbogen mit Lydia Andrews Adresse wurde sie in einer kurzen Mitteilung gebeten, sie sobald als möglich aufzusuchen. Phryne schnaubte verächtlich. Diese Frau war tatsächlich eine Klette. Sie knüllte Lydias Einladung zusammen, warf sie in den Abfalleimer und verließ das Café. Sie würde zum Essen bei Sanderson gehen, doch vorher hatten sie und Dot noch einiges zu erledigen und ein paar Besuche abzustatten.

Als erstes mußte sie sich ein Auto mieten. Phryne war eine gute Fahrerin, und der Gedanke, sich ständig ein Taxi rufen zu müssen, mißfiel ihr.

Sie erinnerte sich, daß es weiter unten in der Straße, Richtung Stadtrand, dort, wo früher die städtischen Kutschen untergestellt worden waren, eine Autowerkstatt gab. Phryne erwischte eine Straßenbahn, hielt sich wie vorgeschrieben fest und atmete den eigenartigen, ozongeschwängerten Geruch von verbranntem Staub ein, bis sie an der Ecke zur Spencer Street ausstieg. Die Werkstatt war groß und frisch gestrichen, und ein aufmerksamer, wenn auch ölverschmierter junger Mann erhob sich, sobald sie eintrat. In dem schwach beleuchteten ehemaligen Stall blinkten glänzende Messinglampen und liebevoll polierte Autos. Der junge Mann wischte sich schnell die Hände an einem Baumwollappen ab und eilte ihr entgegen.

«Ja bitte, Ma'am, was kann ich für Sie tun?»

«Ich möchte ein Auto mieten», sagte Phryne. «Was haben Sie anzubieten?»

Der junge Mann zeigte auf eine unauffällige Duchesse mit großen Rädern und geschlossener Karosserie, die noch von einem Kutschenmacher konstruiert worden war. Phryne grinste.

«Für ein so zahmes Auto bin ich noch nicht alt genug. Wie wäre es mit diesem hier?» fragte sie und tätschelte über das knallrote Emaille eines Hispano-Suiza-Rennwagens. Der schnittige Wagen war niedrig gebaut und hatte eine breite Karosserie, um den Höllenkräften des Motors standhalten zu können. Der junge Mann musterte Phryne von oben bis unten, anscheinend, um ihre Nervenstärke abzumessen.

«Lassen Sie uns eine Probefahrt machen! Dann werden Sie sehen, daß ich richtig mit ihm umgehen kann. Einem so entzückenden Wagen wie diesem würde ich niemals Schaden zufügen – aber ich brauche ein schnelles Auto. Kommen Sie.»

Der junge Mann warf seinen Baumwollappen fort und folgte ihr zögernd.

Er sah Phryne argwöhnisch an, als sie den Choke zog und mit einem geübten Ruck den Zündschlüssel drehte, bis der Motor ansprang. Die Auspuffrohre, die bei diesem Auto nicht der bloßen Standardnorm entsprachen, meldeten sich mit Gebrüll zu Wort. Phryne ergriff das Steuerrad, löste die Handbremse, und das Auto rollte auf die Spencer Street hinaus. Sie vollführte eine saubere Linkskurve.

Sie waren eine Meile weit gefahren und hatten das Crikketstadion passiert, als sie das Gaspedal durchtrat und den Motor dazu brachte, mit voller Kraft davonzubrausen. Der Tachometer sprang in den roten Bereich; der Mechaniker beugte sich vor und brüllte: «Das ist schnell genug, Miss! Sie haben mich überzeugt! Sie können es haben!»

Phryne verlangsamte den Wagen und wandte zum ersten Mal den Blick von der Straße. Sie schien ein bißchen enttäuscht zu sein.

«Na gut», schmollte sie, drehte mit quietschenden Bremsen um und brachte den Mechaniker souverän und schnell zu seiner Werkstatt zurück.

Sie brausten in die Werkstatt, und Phryne stellte den Motor aus.

«Ich möchte ihn erstmal für eine Woche haben», sagte sie umgänglich. Dem jungen Mann fiel auf, daß ihre glänzende Haube aus schwarzem Haar kein bißchen zerzaust war. «Es ist mir egal, wieviel es kostet», fügte sie hinzu. «Und wenn Sie sich scheuen, ihn zu vermieten, kaufe ich ihn. Ein tolles Fahrzeug ... wieviel?»

«Ich möchte ihn nicht verkaufen, Miss, ich möchte selbst Rennen darin fahren ... Ich habe den Motor umgebaut, hat mich zwei Monate Arbeit gekostet –»

«Fünfzig Pfund die Woche?» bot Phryne an, und der Mechaniker warf ihr mit einer Schnelligkeit die Zündschlüssel zu, die nicht ausschließlich von diesem unglaublichen Angebot verursacht war, und nahm ein Bündel Geldscheine entgegen.

Phryne ließ den noch warmen Motor wieder an, peitschte den Wagen auf die Spencer Street, als würde sie ein Jagdpferd auf eine Hecke zutreiben, und schrie den Fußgängern zu, ihr Platz zu machen. Zur gleichen Zeit nahm der junge Mann ihre Karte, sah, daß seine Kundin im Windsor wohnte und schloß vorzeitig sein Geschäft. Er brauchte jetzt einen Drink.

Phryne hielt vor dem Hoteleingang und rief den Portier.

«Wo kann ich ihn abstellen?»

Dem Mann fiel die Kinnlade herunter. Er eilte auf sie zu.

«Parken Sie ihn einfach hier, Miss, ich werde ihn im Auge behalten. Schönes Auto, Miss. Ein Lagonda, nicht wahr?»

«Hispano-Suiza; sehen Sie den Storch auf der Kühlerhaube? Der erste wurde für König Alfonso von Spanien gebaut – das hier ist der 46CV, ist er nicht großartig?»

Phryne setzte den Wagen behutsam in die vorgesehene Begrenzung und stellte den Motor aus. Sie schluckte, um ihr Gehör zurückzuerlangen. Der Hispano-Suiza hatte gebrüllt wie ein Löwe.

Sie rannte die Eingangstreppe hoch, lief die breite Treppenflucht zu ihrer Suite hinauf und überraschte Dot beim Strümpfestopfen so sehr, daß sie sich die Nadel in den Finger stach.

«Laß alles liegen, Dot, wir machen eine Spritztour.»

«Eine Spritztour, Miss, in einem Automobil?» Dot saugte an ihrem Finger und legte den Strumpf über die Stuhllehne. «Was werden Sie anziehen?»

Phryne wühlte bereits in ihrem Schrank herum und riß massenhaft Kleider heraus.

«Eine Hose, vielleicht, und einen dicken Mantel. Ich weiß, es ist Mai, aber es ist eiskalt draußen. Sollen wir ein Picknick machen?»

«Es könnte regnen», sagte Dot zweifelnd und hing die Kleider, die Phryne fortwarf, sofort wieder auf.

«Und wenn schon. Das Auto hat ein Verdeck. Ruf doch in der Hotelküche an und frag nach einem Picknickkorb. Und einem Schirm.»

Phryne fand ihren Mantel und zog, wie ein Bankdirektor, eine Hose aus edlem, dunklem Serge an, während Dot ihre Anweisungen ausführte.

«In zehn Minuten, sagen sie, Miss.»

«Gut. Und was wirst du anziehen? Soll ich dir eine Hose leihen?»

Dot schüttelte sich, und Phryne lachte.

«Nimm deinen Wintermantel, den blauen Glockenhut und eine Kutscherdecke, dann wirst du nicht frieren. Ich weiß nicht, wie weit wir fahren werden.»

«Wieso, Miss, wir können in allen Parks unser Picknick machen, wir müssen gar nicht aus der Stadt heraus fahren», protestierte Dot, die für offene, ungeschützte Plätze ohne öffentliche Einrichtungen wenig übrig hatte.

«Jetzt aber nichts wie los!» sagte Phryne. «Hast du alles?»

Dot nahm ihre Handtasche, den Mantel und die Kutscherdecke aus Känguruhfell und folgte ihrer Arbeitgeberin die Treppe hinunter.

Die Küche hatte einen Picknickkorb bereitgestellt, den der Portier bereits hinten im Auto verstaut hatte, und Phryne sprang auf den Fahrersitz, während Dot es sich behutsam auf dem Beifahrersitz bequem machte.

«Miss, wollen Sie etwa fahren?» flüsterte sie, und Phryne lachte.

«Miss May Cunliffe, die Siegerin des Kairoer Straßenrennens von 1924, hat mir das Fahren beigebracht und gesagt, ich hätte das Zeug zur Rennfahrerin», erklärte sie, während der Portier den Motor anließ, der mit heiserem Gebrüll ansprang. «Du bist sicher bei mir aufgehoben, Dot. Danke», schrie sie dem Portier zu und warf ihm ein Zwei-Shilling-Stück zu. Er verbeugte sich.

«Alles klar, Miss», schrie er, und Phryne steuerte den Wagen auf die Straße. Dot schloß die Augen und übergab ihre Seele in Gottes Obhut.

«Acht Liter Motor, obenliegende Nockenwelle, Mehrscheibenkupplung, leistungsfähige Servobremsen», brüllte Phryne über das knatternde Auto hinweg, das sich für Dot wie ein großes Gewehr anhörte. «Hat den Brickyard-Wettstreit gewonnen und ist achtzehn Stunden lang siebzig Meilen pro Stunde gefahren – ein Wahnsinnsauto! Hundert PS und 1600 Umdrehungen pro Minute – ob er vielleicht doch seine Meinung ändert und ihn mir verkauft? Dot? Dot, mach die Augen auf!»

Dot gehorchte, sah, wie ein drohend näherkommender Gemüselieferwagen bremsenquietschend zum Stehen kam und schloß sie wieder.

«Wenn wir aus der Stadt sind, wird es besser. Ich muß noch ein paar Freunde von mir abholen. Sie sollten an der Ecke Spencer Street auf uns warten ... ah, da sind sie!»

Sie trat auf die Bremse und winkte. Dot, die nach vorn geworfen wurde, schielte besorgt auf ein zerbeultes Taxi und sah ein Mann, der ihnen Winkzeichen gab; dann jagte Phryne den Hispano-Suiza in einen höheren Gang. Die Rangierbahnhöfe schossen vorbei, und Dot, überrascht, daß sie noch lebte, blinzelte unter ihrem Hut hervor, wobei das Peitschen des Windes ihr die Tränen in die Augen trieb. Die Grenzsteine sausten an ihr vorüber. Sie waren auf der Dynon Road und fuhren mit rasender Geschwindigkeit nach

Westen. Das langgezogene graugrüne Sumpfgebiet, das der Eisenbahn gehörte, lag fast hinter ihnen; die Brücke glitt unter die dahineilenden Räder, und das Dröhnen des schweren Motors schien in Dorothys Knochen zu vibrieren. So verstrich eine halbe Stunde.

«Wohin fahren wir?» brüllte Dot, und war selbst erstaunt, zu was für einer Lautstärke sie fähig war. Phrynes Blick wich nicht von der Straße.

«Nur noch über den Fluß, und dann halten wir», schrie sie. «Dreh dich um und schau, ob sie noch hinter uns sind, Dot.»

Das Morris-Taxi, das sich mit wacker arbeitendem Motor abmühte, dem phantastischen Wagen zu folgen, war nur noch als kleiner Punkt in der Ferne zu erkennen. Phryne drosselte den Hispano-Suiza, und sie rollten langsam auf der unbefestigten Straße am Flußufer entlang, an dem viele Schiffe, die meisten kleine Yachten und Ausflugsboote, festgemacht waren.

Am anderen Ufer erstreckten sich, soweit Dots Auge reichte, die Handelsgärtnereien. Sie erkannte die breiten Bambushüte der Chinesen, die im Winterkohl und im Broccoli arbeiteten.

«Oh, wir fahren zu den Teegärten», rief Dot aus, als der Morris ruckartig um die Biegung kam, und die beiden Autos fuhren in schicklicher Geschwindigkeit weiter.

Die Gärten waren mit Bedacht geplant worden, und man hatte die vorzüglichen Böden am Fluß genutzt, um Beete mit exotischen Blumen anzulegen, die das liebliche Bild, das die nach Zitrone duftenden Eukalyptus- und Akazienhaine boten, zu verstärken. Da es Mai war, waren die Gärten ruhig und ein bißchen vernachlässigt. Selbst immergrüne Pflanzen sehen im Winter deprimierend aus, dachte Phryne, während sie den Wagen zum Halten brachte und Dot mitteilte, daß sie jetzt in Sicherheit sei. Der Morris, dessen Kühlerhaube eine Qualmwolke absonderte, hielt und schien in sich zusammenzusacken.

Ein seßhafter Pfau musterte die Neuankömmlinge, erwog, sein Rad zu schlagen, doch entschied sich dagegen. Von der Beifahrerseite des Morris ertönte eine Stimme.

«Cec! Kannste mir bitte mal helfen?»

«Was 'n los?» fragte Cec, der sich verschlafen anhörte.

«Die verdammte Tür ist schon wieder losgegangen. Haste mal nen Stück Draht?»

Es gab ein Gepolter, als Cec einen Draht fand und die Tür befestigte. Dann stiegen die beiden aus und musterten eingehend ihren Wagen.

«Du, ich glaube, er ist bald hinüber», bemerkte Cec traurig. Bert nahm seinen Hut ab, wischte sich über die Stirn und setzte ihn wieder auf.

«Nee, das kriegen wir wieder hin. Er braucht nur 'n bißchen Ruhe. Wir können sie wieder auffüllen, bevor wir fahren – der Bach hier hat 'ne Menge Wasser.»

Sie gingen hinüber zu Phryne, die am Boden kniete und Dot einen Schluck Brandy anbot.

«Aus den Latschen gekippt, was?» fragte Bert. «Ein Schlückchen ist da wohl die beste Medizin. Mir hilft's jedenfalls immer, was, Cec? Der Wagen ist schwer in Ordnung, fährt mit nen Affenzahn … ich meine, es fährt gut. Glück für Sie, daß keine Bullen in der Nähe sind.»

Dot richtete sich auf, wies den Brandy zurück und erklärte, daß sie nun wieder völlig hergestellt wäre.

«Nun, meine Herren, ich habe uns ein Picknick mitgebracht. Wo wollen wir essen?» fragte Phryne, während sie die kleine Flasche in einem Seitenfach des Autos verstaute. Bert sah Cec an.

«Da drüben ist dieses Dingens», schlug er vor und zeigte auf ein kleines Aussichtsgebäude, das offenbar direkt aus dem Brighton-Pavillon hierher verschifft worden war.

«Na gut, es ist überdacht, und im Auto ist nicht genug Platz für uns alle und das Picknick», sagte Phryne seufzend, die Rokoko-Architektur nicht ausstehen konnte. «Gehen wir.»

Bert und Cec nahmen den Korb, und Dot sammelte die Decke und die Handtaschen zusammen. Erst als sie sich einigermaßen bequem eingerichtet hatten und sich die Teller mit Fasan, gekochtem Schinken und russischem Salat beladen hatten, kam sie auf ihr Anliegen zu sprechen.

«Meine Herren, ich brauche Ihre Hilfe, und Sie brauchen die meinige», sagte sie. «Noch etwas Salat?»

Bert, für den *Salade russe* etwas Neues war, an das er sich gewöhnen konnte, nahm nickend an.

«Wo haben Sie beide sich kennengelernt?» fragte Phryne aus einer plötzlichen Eingebung heraus. Bert schluckte einen Bissen hinunter und grinste.

«In der Armee. Und später habe ich dann in den Docks gearbeitet, und Cec auch. Cec und ich sind Kumpels geworden, weil wir zur gleichen Bande gehört haben. Die Roten wurden wir genannt. Bei den Bossen war die Partei nicht gerade beliebt, und bald stellten wir fest, daß sie uns an der Klagemauer einfach stehenließen. Die Bucks haben irgendwie einfach über uns hinweggeschaut.»

«Klagemauer?» fragte Phryne ratlos. «Bucks?»

«Der Treffpunkt für die Arbeiter heißt Klagemauer, und

die Bucks sind die Vorarbeiter», erklärte Bert. «Weil's nicht mehr lief, haben Cec und ich den Job also aufgegeben, und ein Kumpel von uns hat uns den Wagen geliehen, und seitdem verdienen wir unsere Brötchen als Taxifahrer. Trotzdem, ein harter Job», bemerkte Bert traurig. «Und dieses ständige Ja, Sir und Nein, Sir, das geht uns ziemlich gegen den Strich. Immerhin, wir können davon leben», sagte er abschließend. «Ist noch etwas Geflügel da? Und, was möchten Sie von uns, Miss? Was führen Sie im Schilde, wenn ich höflich fragen darf?»

«Füllen Sie Ihre Gläser nach, und ich werde ihnen einen Teil der Geschichte erzählen.» Sie berichtete den Taxifahrern von den russischen Tänzern, Madame Bredas Badehaus, der Polizeidurchsuchung und dem Päckchen mit dem echten Kokain, wobei sie ausließ, daß man Lydia womöglich zu vergiften versuchte, was ihr mittlerweile als ausgezeichnete Idee vorkam. Sie gab ihren einzigen konkreten Hinweis preis: Neunundsiebzig Little Lon.

«Little Lonsdale Street!» rief Bert. «Und Sie glauben, daß diese Konterrevolutionäre nicht auch darauf gekommen sind?»

«Ich glaube nicht», sagte Phryne zögerlich. «Es gibt sonst niemanden, den sie fragen könnten, und sie gehen davon aus, daß Little Lon eine Person ist. Allerdings könnte das eine Falle sein. Ich vermute, daß Gerda ein falsches Spiel mit der Prinzessin treibt, um mehr aus ihr herauszuholen. Gegen Madame Breda habe ich nichts in der Hand, außer daß Sascha darauf bestand, daß sie es war, die er verfolgte, als er verletzt wurde. Das war in der Nacht, als Sie uns in Toorak aufgelesen haben.»

«Ja, und Sie haben mir eine Waffe ins Ohr gesteckt»,

gluckste Bert, dem diese Erinnerung alles andere als unangenehm war. «Würden Sie die Verbrecher wiedererkennen, Miss?»

«Ja», sagte Phryne. Die abstoßenden Visagen von Gangster Eins und Zwei hatten sich in ihr Gedächtnis eingebrannt. «Haben Sie sie gesehen?»

«Nee, aber vielleicht haben wir sie kurz davor gesehen. Du hast doch Cokey Billings gesehen, oder, Cec?»

«Wann und wo?» wollte Phryne wissen. Cec rieb sich das Kinn.

«So gegen halb eins, in der gleichen Straße. Mit Gentleman Jim und dem Bullen.»

«Wer ist das?»

«Üble Gesellen, Miss. Mit Cokey Billings haben wir nie zusammen gearbeitet. Er ist ein Langfinger, zieht einem ohne Gewissensbisse die Scheinchen aus der Tasche. Seitdem er abhängig ist, würde er für Kokain alles tun. Der Zahnarzt hat ihm was gegeben, als er ihm einen Zahn ziehen mußte, und seitdem ist er verrückt nach dem Zeug. Gentleman Jim ist ein echter Künstler im Betrügen – man nennt ihn Gentleman, weil er Sachen sagt wie: Ein Gentleman sollte sich nie mit niederer Gesellschaft umgeben. Früher hatte er immer ein Messer dabei, und er wußte, wie man damit umgeht. Und der Bulle – er ist ein großer, dicker Kerl, 'n richtiger Koloß und so dumm wie Bohnenstroh. Stark? Er würde eher eine Tür aus den Angeln heben als herauszufinden, wie man einen Schlüssel umdreht. Völlig hirnlos.»

«Cokey und Gentleman Jim hören sich wie meine Gangster an», bemerkte Phryne. «Aber sie hatten Pistolen. Warum also haben sie auf Sascha eingestochen, anstatt ihn einfach zu erschießen?»

«Ein kleiner, geräuschloser Stich zwischen die Rippen, und er wäre mausetot gewesen. Keinen Mucks. Sonst hätten sie die Masche vom St.-Valentinstag-Massaker riskieren müssen, als er davonlief. Aber wenn wir wirklich hinter denen her sind, stecken wir in bösen Schwierigkeiten. Wie ich gesagt habe, üble Gesellen.»

Da Bert die Bezeichnung «üble Gesellen» offenbar nur auf Mehrfachmörder anwandte, war Phryne geneigt, ihm zuzustimmen.

«Ich möchte gern nach neunundsiebzig Little Lon gehen und sehen, wer dort ist und was sich da abspielt. Wissen Sie, wo das ist?»

«Ja. Hinter der Synagoge. Fast an der Ecke zur Spring Street. Fast alles Logierhäuser. Kennst du Nummer neunundsiebzig, Cec?» Cec trank sein Glas aus und stellte es behutsam ab.

«Das ist das dunkle Haus mit dem Laden vorne. Verkaufen so Heilmittel, Beecham's Pillen und so. Nebenan wohnt die alte Mutter James.»

«Cec ist wirklich ein Phänomen. Hat den ganzen Stadtplan im Kopf. Man braucht ihn nur nach irgendeinem Ort zu fragen, und er weiß, wo er ist. Es ist eine Apotheke», sagte Bert überflüssigerweise. «Als ob sie in Little Lon eine bräuchten.»

«Ja. Alle zusammen und jeder gegen jeden, das ist Little Lon. Steine, Messer, Stiefel, zerbrochene Flaschen – jede Bande in Melbourne geht dorthin, um ihre kleinen Meinungsverschiedenheiten auszukämpfen. Dort können Sie nicht hingehen. Miss.»

«Ach, kann ich nicht?» fragte Phryne unheilvoll. «Gibt es in Little Lon keine Frauen?»

«Doch, klar, Nutten gibt's da, aber die sind nicht so, wie die im Kino. Schätze, nicht jedes Straßenmädchen hat ein goldenes Herz. Und die Damen bekämpfen sich wie räudige Katzen – die kratzen und schreien und reißen sich gegenseitig die Haare aus! Das Gekreische kann einem den Magen umdrehen.»

«Und was treibt Mutter James?» fragte Phryne. «Hat sie ein Bordell?»

«Nein, Miss, nicht ganz. Sie verkauft Kaffee, Tee, Suppe und Würste mit Kartoffelbrei und unterm Tisch heimlich Schnaps. Und Kuchen, wenn man dumm genug ist, welchen zu kaufen.»

«Hört sich nach einer bemerkenswerten Frau an», sagte Phryne höflich, aber bestimmt, und Bert wußte aus Erfahrung, wann er es mit einer entschlossenen Frau zu tun hatte.

«Na gut, Miss, wofür brauchen Sie mich und Cec?»

«Als Führer und Leibwächter», sagte Phryne, während Dot das Dessert, einen Himbeerpudding, hervorholte.

«Miss, ich und Cec legen uns nur mit den Kapitalisten an.»

«Nehmen Sie von dem Pudding. In der Thermosflasche ist Tee. Denken Sie nach. Ich muß dort hingehen, und ich kann wohl kaum Dot auffordern, mich zu begleiten – sie ist ein anständiges Mädchen. Wie Sie gerade erklärt haben, ist dieser Ort gefährlich. Ich werde Ihnen genug Geld geben, daß Sie sich ein neues Auto kaufen können. Ich brauche ihre Hilfe, meine Herren.»

«Vielen Dank, aber keine Chance!» sagte Bert. Cec schwieg.

«Dann bedenken Sie folgendes. Kokain ist ein Teufelszeug. Schon nach drei oder vier Malen kann man abhängig davon werden und jedesmal muß man mehr davon nehmen. Es zerstört das Gehirn, und wenn man es schnupft, schädigt es die Augen und die Schleimhäute. Die Entzugserscheinungen sind furchtbar – man gähnt und schwitzt, man windet sich in Krämpfen und schreit vor Schmerz, und dann fängt man an, Dinge zu sehen und sich zu kratzen und wenn einen niemand daran hindert, zieht man sich die Haut in Fetzen vom Leib. Eine ganz üble Sache. Und irgendwo, in einem reizenden Haus in einem begrünten Vorort, weit weg von dem Aufruhr und den Schreien, sitzt ein Fettwanst mit einer Zigarre, sonnt sich in seinem Profit und lacht der Welt ins Gesicht. Ein Kapitalist, der sich in Kokaingeld aalt, mit Chauffeur, drei Dienstmädchen und einem Zobelpelzmantel. Und außerdem möchten Sie auch etwas von mir. Jetzt sind sie an der Reihe, Bert!»

Phryne goß sich eine Tasse Tee ein, die sie sich, wie sie fand, verdient hatte. Cec sah Bert an. Bert sah eine ganze Zeit zu Boden. Dot goß ihm Tee ein. Er starrte in die dampfende Tasse hinein und war hin und her gerissen zwischen seinen Überzeugungen als Kommunist und seinem tiefverwurzelten Selbsterhaltungstrieb.

«Also gut», brummte er. «Cec und ich sind dabei.»

«Schön. Wir treffen uns um Mitternacht an der selben Stelle wie vorhin. Aber nun zurück zu den momentanen Geschäften. Ich habe mich für das Footscray Postamt entschieden, weil wir dort direkt telefonieren können. Wir wollen doch unser Anliegen nicht der Vermittlung erklären müssen. Wie viele Telefonnummern haben Sie?»

«Drei», sagte Bert und holte eine auf der Unterseite beschriebene Streichholzschachtel hervor.

«Und ich habe eine», bot Dot an. «Obwohl Muriel sagte, es handle sich um eine Krankenschwester.»

«Gute Arbeit. Sie werden sehen, daß ich meinen Teil der Vereinbarung einhalte. Wir werden George den Schlächter finden. Hat jemand ein paar Pennys?»

Cec griff grinsend in seine Hosentasche und schüttelte Phryne Pennys in die Hand.

Die beiden Autos fuhren auf direktem Weg zum Postamt. Phryne parkte den Hispano-Suiza, stieg aus und ließ Dot als Aufpasserin zurück.

«Wenn du Hilfe brauchst, drück auf die Hupe», teilte sie ihrem nervösen Dienstmädchen mit und zwängte sich mit der Streichholzschachtel und den Pennys in die rote Telefonzelle.

Die nächsten zehn Minuten verliefen mehr als nervenaufreibend. Beim ersten Versuch klingelte es zwölfmal, bevor jemand abhob und sich eine gedämpfte Frauenstimme meldete.

«Ja bitte?»

«Ich stecke in Schwierigkeiten», flüsterte Phryne in ihrem besten australischen Akzent. Am anderen Ende war Schweigen.

«Ich bin gerade erst hier eingezogen», sagte die Frau. «Suchen Sie nach Mrs. Smith?»

«Ja», sagte Phryne. «Sie hat ein Entbindungsheim.»

«Das stimmt. Es tut mir leid, aber sie ist fort. Sie hat mir keine Adresse hinterlassen. Tut mir leid.» Sie hängte ein. Phryne wählte noch einmal.

«Ja bitte?» sagte eine andere Frau.

Phryne wiederholte sich. «Ich stecke in Schwierigkeiten.»

Die Stimme wurde einfühlsamer.

«Wirklich, Herzchen? Dagegen sollten wir aber etwas tun. Wieweit sind Sie?»

«Im zweiten Monat.»

«Es wird zwanzig Pfund kosten. Der Doktor macht es jeden Dienstag. Alles ganz ordentlich und sauber, Herzchen, mit Äther und allem.»

«Ein Arzt?» fragte Phryne. Die Stimme wurde lebhaft.

«Natürlich, Herzchen, wir wollen doch keine Komplikationen, nicht wahr? Vorher bitte vierundzwanzig Stunden nüchtern bleiben. Möchten Sie sich die Adresse notieren?»

«Nein, ich muß noch darüber nachdenken», sagte Phryne zögerlich. Das war nicht die Einrichtung von George dem Schlächter.

«Sicher, Herzchen, aber warten Sie nicht zu lang, ja? Nach dem dritten Monat macht der Doktor es nicht mehr.»

«Vielen Dank», sagte Phryne und hängte ein.

Ein bißchen aufgewühlt, wählte sie die dritte Nummer auf der Streichholzschachtel. Sie hörte eine Männerstimme. Phryne sagte noch einmal ihren Spruch auf.

«Ich stecke in Schwierigkeiten.»

«Und was habe ich damit zu tun?» knurrte die Stimme. Phryne versuchte es mit dem Paßwort.

«Ich suche nach George.»

«So, tust du das? Warum hast du das nicht gleich gesagt. Morgen um drei unter den Uhren. Trag eine rote Blume und bring zehn Mäuse mit. Wie heißt du, Mädchen?»

«Joan Barnard», sagte Phryne, und die Stimme wurde ölig. «Bis morgen, Joanie.»

Er hängte ein. Phryne war elend. Sie atmete tief ein und warf noch einen weiteren Penny in den Schlitz.

«Hier spricht Phryne Fisher. Würden Sie bitte Dr. Mac-Millan rufen? Ja, es ist wichtig. Ja, ich werde warten.» Sie gab Bert und Cec durch die Scheibe mit dem Daumen ein Zeichen, daß es geklappt hatte. Bert grinste. Sie wandte ihre Aufmerksamkeit wieder dem Telefon zu.

«Elizabeth, ich habe ein Treffen mit dem Engelmacher verabredet. Wie hieß noch der nette Polizeibeamte? Robinson, genau. Ich werde ihn anrufen. Natürlich werde ich vorsichtig sein. Auf Wiedersehen.» Sie nahm die letzte von Cecs Münzen, um in der Russell Street anzurufen.

Nach einigem wortreichen Hin und Her hatte sie den Kriminalinspektor am Apparat.

«Wenn morgen um drei eine Polizistin mit einer roten Blume unter der Bahnhofsuhr wartet, wird George der Schlächter sie aufsammeln. So habe ich es telefonisch vereinbart. Ich habe den Namen Joan Barnard angegeben. Haben Sie mich verstanden?»

Sie lauschte ungeduldig seinen Vorhaltungen und unterbrach ihn spitz: «Ich habe meinen gesunden Menschenverstand eingesetzt. Das hätten Sie auch tun sollen, und ich weiß wirklich nicht, wieso sie es nicht getan haben. Außer vielleicht, daß Sie die Gabe nicht nutzen, die Gott den Gänsen verliehen hat. Wenn Sie mehr wissen möchten, rufen Sie mich im Windsor an. Aber das hier ist Ihre beste Gelegenheit, ihn zu fassen. Und übrigens, es kostet zehn Pfund», fügte sie hinzu und hängte ein.

Sie verließ die Telefonzelle und berichtete Bert und Cec von ihren Vorkehrungen.

«Es war Ihre Nummer, Bert, wissen Sie noch, von wem Sie sie hatten?» fragte Phryne. Bert sah zu Boden. Phryne seufzte.

«Na gut, sagen Sie Ihrem Informanten, kein Anschluß mehr unter dieser Nummer.»

Bert lachte.

«Wann möchten Sie nach Little Lon gehen?»

«Wie, morgen abend natürlich! Heute abend diniere ich mit einem Parlamentsabgeordneten. Ich möchte keinesfalls die Melba Gala versäumen.»

«Natürlich», sagte Bert. «Die Melba Gala.»

Kriminalinspektor Robinson bellte aus einem Büro: «Sergeant! Wer von den Frauen ist morgen im Einsatz?»

»Nur Jones, Sir».

«Schicken Sie sic zu mir», grunzte er, und der Sergeant ließ Jones holen und fragte sich, welche Laus seinem Chef wohl über die Leber gelaufen war.

«Jones, kommen Sie morgen bitte in einfacher Zivilkleidung. Sie sollten ärmlich aussehen und so, als wären sie guter Hoffnung. Wir versuchen morgen diesen George, der die Mädchen getötet hat, zu schnappen.»

«George den Schlächter, Sir? Haben Sie doch noch eine Spur zu ihm bekommen?» fragte Jones eifrig. Frauen waren bei der Polizei lediglich geduldet und wurden nur für die vielen ausgesetzten Kinder und die Prostituierten benötigt, auf die die Polizei von Victoria aufmerksam wurde. Sie wußte, daß sie niemals Beamtin werden und ihr Gehalt niedriger als das einer Verkäuferin bleiben würde, doch das hier könnte ihre Chance zu einer Beförderung werden. Um einen Engelmacher zu fangen, konnten sie keinen männlichen Beamten nehmen. Jones verabscheute diesen George. Sie hatte sich mit dem mißhandelten und verstümmelten Körper von Lil Marchent befaßt. Egal, ob Prostituierte oder nicht, der Anblick ließ ihr keine Ruhe mehr, und sie würde nicht so eine einfache Beute für George den Schlächter sein.

Ihr Chef hingegen war nicht so erfreut über die Aussichten, einen berüchtigten Mörder zur Strecke zu bringen, wie sie gedacht hatte.

«Ein Auto wird dem Lieferwagen folgen», sagte der Inspektor, «und ein paar Männer zu Fuß. Alles, was Sie zu tun haben, ist, kläglich dreinzuschauen und ihm das Geld zu geben. Zehn Pfund. Merken Sie sich alles, was er sagt», fügte er hinzu, «und geben Sie acht. Wenn Sie glauben, es wird brenzlig, hauen Sie ab.»

«Das werde ich, Sir. Wie sind Sie ihm auf die Spur gekommen?»

«Ich habe einen Hinweis bekommen», sagte der Inspektor und seufzte resigniert. «Ich habe einen Hinweis bekommen, Jones.»

ELF

Ich weiß nicht, was ich vorziehe,
Die Schönheit der Brechungen
Oder die angedeutete Schönheit,
Das Pfeifen der Amsel
Oder die Sekunde danach.

Eine Amsel dreizehnmal gesehen,
Wallace Stevens

Phryne hatte eine Menge zu erledigen, und während sie den großen Wagen auf der Footscray Road im höchsten Gang gleiten ließ, überlegte sie munter, was sie für das Wichtigste hielt. Dot schloß auf der Stelle die Augen, gestattete sich jedoch, durch ihre Finger hindurchzuschlunzen. Irgendwann, in hundert Jahren vielleicht, werde ich mich daran gewöhnt haben, dachte sie sich. Der Wind riß an ihren Haaren. Das alte Taxi, das sich in Phrynes Sog fleißig wie eine Ameise abmühte, war weit zurückgefallen.

«Als erstes muß ich einkaufen gehen, Dot. Wo kann man in dieser Stadt am billigsten Kleidung kaufen?»

«Bei Paynes», schrie Dot. «Abscheulich und billig. Nichts, was Sie tragen könnten, Miss!»

«Wir werden sehen. Dann muß ich schnellstens nach Toorak und Lydia besuchen, und dann bin ich bei Mr. Sanderson zum Essen mit anschließendem Galakonzert eingeladen. Und dann muß ich nach Hause und ins Bett.» Sie bog in die Spring Street ein, hielt vor dem Hotel, warf dem Portier die Schlüssel zu und war schon halb die Treppe hochgelaufen, als sie bemerkte, daß sie mit sich selbst sprach.

«Dot», rief sie, «du kannst die Augen wieder aufmachen!»

Dot errötete und kletterte mehr überstürzt als anmutig aus dem Hispano-Suiza und rannte zu Phryne.

«Und nun auf zu Paynes und einem scheußlichen Kleid», sagte ihre auf Abwege geratene Herrin. «Begleite mich, Dot, ich brauche deine Meinung.»

Und so geschah es, daß Phryne ein enges Fransenkleid aus Fugi-Baumwolle in einem grellen Rosa erwarb, das im Volksmund Babypopo genannt wurde, und dazu ein Paar Stiefel aus Ziegenlederimitat mit fünf Zentimeter Absätzen, eine Abendhandtasche, die mit so vielen Fransen und Perlen verziert war, daß sie kaum zu gebrauchen war, pfirsichgelbe Strümpfe und einen furchtbaren Glockenhut aus stahlblauem Plüsch mit schiefer Krempe.

Die Auswahlkriterien für die Kleidungsstücke waren denkbar einfach. Immer wenn Dot ausrief: «O nein, Miss!», kaufte sie es. Außerdem erwarb sie einen rosa Umhang mit Taschen, der mit Marabufedern geschmückt war und neu bereits abgetragen aussah. Sie ging noch kurz bei Woolworth vorbei, wo sie zwei Ringe, eine fast zwei Meter lange Perlenkette, die garantiert nicht aus Venedig stammte, und bunte Strumpfbänder kaufte. Im selben Geschäft stattete sie sich mit billiger Unterwäsche aus.

Mit Paketen beladen kehrte sie ins Windsor zurück und gab Dot die seltsamsten Anweisungen, die diese bis jetzt erhalten hatte.

«Zieh das ganze Schmuddelzeug an und trag es für mich ein, Dot. Ich habe keine Zeit dazu.»

«Es eintragen, Miss?»

«Genau. Latsche die Schuhe aus, roll dich ein bißchen

185

über den Fußboden, verschütte etwas über das Kleid und wasch es aus, aber nicht zu gut, ribbel den Saum ein wenig auf und bessere ihn aus. Die Sachen müssen abgetragen aussehen. Brich ein paar der Federn. Verbeule diesen schrecklichen Hut. Verstehst du, worauf ich hinaus will?»

«Ja, Miss», seufzte Dot und brachte die Pakete hinauf.

Phryne ließ sich das Auto bringen, und während sie schon bald schnell die Punt Road herunterfuhr, rief sie sich ins Gedächtnis zurück, mit welchem Auftrag sie nach Australien geschickt worden war.

Ich frage mich, ob Lydia wirklich drogenabhängig ist; ich kann mir nicht vorstellen, daß dieser Hornochse John Andrews überhaupt jemanden vergiften könnte – dazu fehlt es ihm an Phantasie. Jemanden erwürgen, ja, oder jemandem mit dem nächst greifbaren stumpfen Gegenstand den Kopf einschlagen, aber Gift? Nein. Auf der anderen Seite, wenn man den Wunsch hatte, sich von einem solchen Ehemann zu befreien – und wer hätte den nicht – und sich deshalb selbst etwas relativ Ungefährliches verabreichte ... Moment mal ... was hatte Lydia noch geschrieben? «*Ich bin krank, aber Johnny geht einfach in seinen Club.*»

Die plötzliche, blitzartige Eingebung ließ sie so in Gedanken versinken, daß sie scharf auf die Bremse treten mußte, um der Straßenbahn auszuweichen. Zum Glück besaßen Rennwagen ausgezeichnete Bremsen. Auf der Toorak Road drosselte sie ihre Geschwindigkeit auf das erlaubte Maß, um so Zeit zum Nachdenken zu gewinnen.

Wenn ich recht habe, müßte sich das relativ einfach beweisen lassen, dachte sie. Ich muß nur eines der Mädchen bestechen ... und ich glaube nicht, daß sie ihre Dienstboten gut behandelt.

Das irische Dienstmädchen war nervös und plapperte redselig drauflos: «Ach, Miss Fisher, Sie sind es. Die Herrin liegt krank zu Bett, aber sie hat uns aufgetragen, Sie sofort zu ihr zu führen, wenn Sie kommen. Hier entlang, Miss.»

Phryne folgte der jungen Frau und nahm sie beim Arm. «Nicht so schnell. Erzähl mir von Mrs. Andrews Krankheit. Tritt sie immer ganz plötzlich auf?»

«Ja, Miss, gestern abend ging es ihr sehr gut, doch dann mußte sie sich furchtbar übergeben – und der Arzt weiß nicht, was es ist. Nichts scheint ihr zu helfen.»

«Wie lange halten diese Anfälle für gewöhnlich an?»

«Einen Tag, manchmal auch zwei, nicht länger, doch danach ist sie immer völlig erschöpft. Sie braucht eine Woche, um sich zu erholen.»

«Und ist Mr. Andrews ebenfalls krank?»

«Nein, Miss, darüber zerbrechen sich alle den Kopf. Sonst würden sie denken, es liegt an dem, was sie ißt. Aber sie essen beide das gleiche, Miss, und wir essen in der Küche die Reste auf und sind nicht krank. Das ist wirklich unheimlich», schloß das Dienstmädchen und blieb vor einer rosa Tür stehen. «Hier ist es.»

«Einen Augenblick noch. Wie heißt du?»

«Maureen, Miss.»

«Maureen, ich möchte den Grund für ihre Krankheit herausfinden, und dazu brauche ich deine Hilfe. Ich bin im Auftrag von Mrs. Andrews Eltern in England hier. Ich benötige gewisse Informationen.»

Sie hielt ihr einen Zehn-Shilling-Schein entgegen. Maureens Finger schlossen sich um den Schein und genossen das Gefühl des Papiers.

«Zuerst, wo ist Mr. Andrews?»

«In seinem Club, Miss. Früher blieb er daheim, wenn sie krank war, doch in letzter Zeit scheint ihn das nicht mehr zu interessieren.»

«Mögen Sie ihn?»

«Aber Miss!» protestierte das Mädchen und wandt sich. Phryne wartete. Schließlich kam die Antwort in einem angespannten Flüstern.

«Nein, ich mag sie beide nicht. Sie ist sanft und grausam, macht immer auf nett, aber ist hart wie Stein, und er hat seine Hände überall. Ich gehe fort, sobald ich Arbeit in der Fabrik bekomme. Dort gibt es mehr Lohn, bessere Arbeitszeiten, und die Leute sind nett.»

«Schön. Das habe ich mir gedacht. Wie kommen die beiden miteinander aus?»

«Schlecht, Miss. Sie streiten die ganze Zeit. Früher war es wegen seiner heimlichen Techtelmechtel, jetzt geht es meistens um Geld. Sie behauptet, daß er ihr Vermögen durch schwachsinnige Anlagegeschäfte verschleudert, die dieser Hon. Matthews ausheckt. Er sagt, sie hätte keinen Mumm. Dann fängt sie an zu weinen, und er stürmt davon.»

«Wie lange streiten sie schon über Geld?»

«Schon Jahre, Miss, doch seitdem er diesen Matthews kennengelernt hat, ist es viel schlimmer geworden.»

«Du warst mir eine große Hilfe. Hier hast du noch mehr. Verstehst du dich gut mit ihrer Kammerzofe?»

«Das sollte ich wohl, sie ist meine Schwester Brigit.»

«Schön. Ich sage dir nun, was ihr beide zu tun habt, und für jeden von euch werden dabei zehn Pfund herausspringen.»

Phryne erzählte Maureen, was sie tun sollten. Das Mädchen nickte.

«Das können wir einrichten», sagte sie. «Aber wozu?»

«Das spielt keine Rolle. Bringt die Sachen zu Dr. MacMillan ins Queen Victoria Hospital und sagt ihr, ich hätte euch geschickt. Wenn ihr erwischt und entlassen werdet, kommt zu mir ins Windsor. Doch ich rate euch, euch nicht erwischen zu lassen», fügte sie hinzu, denn plötzlich kam ihr der Gedanke, daß sie die Mädchen womöglich in ziemliche Gefahr brachte. Maureen lächelte.

«Brigit und ich haben schon Schwierigeres gemacht», sagte sie sanft. «Und nun werde ich Sie melden, Miss.»

«Nur zu. Wenn du zur Rede gestellt wirst, sage einfach, ich wollte Klatsch hören.»

«Das wollten Sie ja auch», stimmte Maureen zu und öffnete dann die rosa Tür.

«Mrs. Andrews, Miss Fisher», meldete sie, und Phryne trat ein.

Das Zimmer war so durch und durch rosa, wie Phryne es noch nie in ihrem Leben gesehen hatte. Im Gegensatz zum modernen Einrichtungsstil war es sehr schlicht gehalten, und es gab weder die üblichen Wandbehänge aus Tüll oder Musselin noch ein Himmelbett. Die Wände waren mit einer rosa Blümchentapete tapeziert, auf dem Bußboden lag ein von Morris entworfener rosa Teppich, und die beiden Stehlampen sowie die Leselampe am Bett hatten rosa Schirme, rosa Füße und rosa Gestelle. Phryne fand, daß sich ihr anthrazit-grünes Kostüm mit dem Rosa biß.

Lydia ruhte auf einer mit rosa Samt bezogenen Chaiselongue und trug einen teuren grellrosa Seidenmorgenrock. Phryne kam sich vor, als wäre sie mitten in einen bösen Traum geraten. Mit ihren blonden Löckchen, der zarten Porzellanhaut und den weichen, rundlichen kleinen Händen sah Lydia exakt aus wie eine Puppe ... Phryne setzte sich an das eine Ende der weichen Chaiselongue und fragte in einem, wie sie hoffte, teilnahmsvollen Ton: «Wie geht es Ihnen, Lydia?»

Ihre hohe, weinerliche Klein-Mädchen-Stimme ähnelte dem Gesumme einer Stechmücke.

«Mir geht es gar nicht gut. Schon vor Stunden habe ich nach Ihnen schicken lassen, und habe die ganze Zeit auf Sie gewartet!»

«Es tut mir leid, Lydia, aber ich war nicht im Hotel, als Ihre Nachricht eintraf. Ich bin so schnell gekommen, wie ich konnte. War der Arzt bei Ihnen?»

«Ja, aber er kann nichts finden. Aber etwas stimmt nicht mit mir. Das ist ungerecht. John und ich essen genau das gleiche, aber er ist nicht krank. Und er ist fortgegangen. Er ist so grausam!»

«Gibt es nichts, was Sie essen, aber er nicht?» fragte Phryne. Lydias glatte Stirn legte sich in Falten.

«Nur die Pralinen. Er mag keine Pralinen.»

«Sie Ärmste. Soll ich Ihnen etwas bringen lassen? Ein Täßchen Kraftbrühe? Oder etwas Suppe?»

«Nein, ich kann überhaupt nichts essen», erklärte Lydia und ließ sich in ihre Kissen zurücksinken. Phryne kämpfte ihren Widerwillen nieder und nahm ihre schmale Hand. Sie war heiß.

«Ist Ihnen jemals der Gedanke gekommen, daß man Sie vielleicht vergiftet, Lydia?» fragte sie so vorsichtig wie möglich. Es fiel ihr keine beschönigendere Form ein, eine solche Frage annehmbar zu formulieren. Lydia gab einen theatralischen Klagelaut von sich und vergrub ihr Gesicht zwischen den Händen.

«Sie haben also selbst schon daran gedacht, nicht wahr?»
Lydia schluchzte laut auf, doch Phryne, die sich ganz nah
über sie beugte, glaubte zu hören: «John ... so grausam ...»

«Nun, ich denke, er gilt als der Hauptverdächtige. Wie
bekommen Sie Ihre Pralinen?»

«John bringt sie mir mit ... das hat er immer schon getan.» Die kobaldblauen Augen wurden groß. «Die Pralinen! Immer wenn ich Pralinen gegessen habe, bin ich krank
geworden! Und er hat sie gekauft! Er muß derjenige sein.»

«Beruhigen Sie sich, Lydia. Kommen Sie, das ist doch
nicht das erste Mal, daß Ihnen dieser Gedanke gekommen
ist, oder?»

Aus der Tiefe der Kissen heraus kam ein gedämpftes
Nein.

«Haben Sie ihm gegenüber denn nie etwas fallenlassen?»

«Nein, Phryne, wie konnte ich das?» Das weiße Gesicht
erhob sich aus den Kissen, und ihre Haare waren auf höchst
anziehende Weise zerzaust.

«Wieso lassen Sie mich nicht mit ihm sprechen?» fragte
Phryne, doch sofort krallten sich überraschend kräftige Finger um sie.

«Nein!» Die Stimme war ein Aufschrei. «Nein, das dürfen Sie nicht! Phryne, Sie müssen mir schwören – Sie müssen
mir versprechen, ihm nichts zu sagen! Das könnte ich nicht
ertragen!»

«Wieso nicht!» fragte Phryne vernunftsgemäß. «Sollte er
wirklich versuchen, Sie umzubringen, sollten wir ihm zeigen, daß wir ihm auf den Fersen sind. Eine Warnung sollte
reichen.»

«Nein! Versprechen Sie es!» und Phryne gab nach.

«Schon gut, schon gut, ich verspreche, ich werde nichts

sagen. Ehrenwort. Aber sie verstehen doch, daß wir es dabei nicht belassen können, Lydia.»

«Doch, das können wir», verkündete Lydia mit einem drohenden Anflug von Hysterie. «Ich werde nur noch Dinge essen, die auch er ißt, dann kann mir nichts passieren.»

«Na schön, ich muß jetzt gehen, Lydia. Ich muß mich für die Melba-Gala heute abend umziehen. Soll ich ihr Mädchen rufen?»

«Nein, ich brauch nichts», sagte Lydia. «Aber besuchen Sie mich bitte bald wieder!» rief sie flehend. Phryne fand in Gedanken versunken allein den Weg nach draußen und hatte einen schalen Geschmack im Mund.

Sie fuhr zurück ins Windsor und traf auf Dot, die seelenruhig Strümpfe stopfte und dazu Radio hörte, wieder in ihren eigenen Kleidern vor. Ein klebrigsüßes Arrangement von Strauß-Walzern peinigte Phrynes Ohren, und sie stürzte ins Badezimmer, um die Kleider durchzusehen.

«Stell das ab, Dot, und laß mir ein Bad ein. Für heute habe ich genug Klebriges gehabt. Wie bist du mit den Kleidern zurechtgekommen?»

«Sie sind schon ganz schön zerknittert, Miss», sagte Dot und zeigte auf das noch feuchte rosa Kleid, das sie zu einem Ballen zusammengeknüllt hatte. «Bis morgen um Mutternacht werden die Sachen getrocknet sein und so aussehen, daß kein anständiges Mädchen auf die Idee kommen würde, sie anzuziehen. Ich habe die Schuhe ordentlich abgestoßen, und der Hut wird nie mehr so aussehen wie früher», fügte sie hinzu.

«Braves Mädchen. Was soll ich nur zu der Gala anziehen? Das Goldene? Nein, das ist zu auffällig. Vielleicht das Pfau-

192

enblaue ... ja. Dot, such mir meine Saphirohrringe und schwarzes Unterzeug, schwarze Schuhe und den Zobel.»

Phryne zog ihr anthrazit-grünes Kostüm aus und klingelte nach türkischem Kaffee. Sie wollte so wach bleiben, wie möglich.

ZWÖLF

Ich war die Welt, in der ich ging, und was ich sah,
Was ich hörte oder fühlte, kam aus mir selbst,
Und dort fand ich mich wahrer und mir fremder.

Tee am Palaz von Hoon,
Wallace Stevens

Das Haus der Sandersons beeindruckte durch maßvolle Zurückhaltung und ähnelte eher den Häusern der Reichen in Europa als dem protzigen Anwesen der Cryers. Ein Butler führte sie in einen Salon, dessen Einrichtung von schlichter Eleganz zeugte, und die Gesellschaft erhob sich.

Unter den Anwesenden befand sich zu ihrer Überraschung Bobby, der selbsternannte Honourable Matthews und ruhmreiche Cricketspieler, John Andrews, ohne seine Gattin Lydia, und ein paar Politiker, die einander so sehr ähnelten, daß Phryne sich nicht merken konnte, ob sie nun mit Mr. Turner (parteilos) Mr. Jackson (Labor-Partei) oder Mr. Berry (Konservative) sprach. Ihre Frauen, die offensichtlich denselben Hutmacher und denselben Couturier aufsuchten, waren ebenso schwierig voneinander zu unterscheiden. Phryne begrüßte herzlich Mr. Sanderson und wurde seiner Frau, einer rundlichen, scharfsinnigen Frau mit verschmitzten Augen, vorgestellt. Die übrigen Gäste schienen nicht recht zu wissen, wie sie Miss Fisher begegnen sollten. Zumindest Bobby Matthews reagierte eindeutig. Als er sich unbeobachtet sah, warf er ihr einen finsteren Blick zu. Phryne lächelte.

Der Sherry wurde gereicht, und man begann allgemein, sich zu unterhalten. Phryne schlüpfte durch die Menge hindurch und tauchte so unvermittelt neben Honourable Bobby auf, daß er beinahe seinen Sherry verschüttet hätte.

«Guten Abend, Bobby, wie ungemein unerfreulich, Sie wiederzusehen. Hat man Sie in die Kolonien verbannt? Ich frage mich, womit die Kolonien das verdient haben. Was haben Sie in Melbourne getrieben? Ein paar Firmen gegründet? Ein paar Anteile an argentinischen Goldminen verkauft?»

«Ich habe hier mit den verschiedensten Geschäften zu tun», antwortete Matthews steif. «Und Ihr Ton gefällt mir nicht, Miss Fisher. Was haben Sie denn die ganze Zeit über in Paris getrieben, hä? Hätten Sie gerne, daß ich hier vor versammelter Mannschaft über die *Rue du Chat-qui-Pêche* berichte?»

«Nur zu, dann werde ich ihr außergewöhnliches Können beim Cricket rühmen.» Phryne lächelte ihn strahlend an und hielt ihm ihre Zigarette hin. Bobby gab ihr mit einem Blick Feuer, als würde er am liebsten sie selbst in Brand stecken und sagte in verschwörerischem Ton: «Sie sollten mich besser nicht zugrunde richten, Miss Fisher. Ich habe hier einige gute Geschäfte laufen. Diese Australier sind ein gefundenes Fressen für einen Briten mit Adelstitel. Wenn Sie wollen, teilen wir den Gewinn.»

«Setzen Sie sich Bobby, und schauen Sie nicht so verängstigt. Ich habe nicht vor, Sie auffliegen zu lassen – aber ich werde es tun, wenn sie irgend jemandem, dem ich nahe stehe, Schaden zufügen, da können Sie Gift drauf nehmen.»

«Und woher weiß ich, wem ich aus dem Weg gehen soll?»

«Sagen wir lieber so – die Anwesenden können Sie alle zugrunde richten, nur Dr. MacMillan nicht.»

«Das läßt mir genügend Bewegungsfreiheit.»

«Wissen Sie etwas über den hiesigen Kokainhandel?»

«Kokain? Damit will ich nichts zu tun haben.»

«So tugendhaft?» fragte Phryne und machte einen Rauchring.

«Zu besorgt um meine eigene Haut. Keine Menschen, die man gerne um sich hat. Aber ich habe einiges gehört. Die zentrale Figur wird der Schneekönig genannt, doch niemand scheint eine Ahnung zu haben, um wen es sich dabei handelt. Ich glaube, das Zeug wird säckeweise eingeführt, aber das geht mich nichts an.»

«Und wie lange schwingt dieser sogenannte König schon das Zepter?»

«Seit drei Jahren, glaube ich – nach allem, was ich gehört habe, hat er alle kleinen Händler ausgeschaltet. Einige von ihnen hat man einzementiert im Yarra gefunden. Seine Methoden sind ziemlich rüde. Ein Freund von mir ist in diesem Geschäft – er sagt, die einzige Überlebenschance besteht darin, dem König jeden Preis zu zahlen, den er verlangt. Wenn Sie sich nicht vorsehen, werden sie noch eines Tages mit einer Zementweste aus dem Fluß gefischt.»

«Ich bin fest entschlossen, mich vorzusehen. Freuen Sie sich nicht zu früh, lieber Bobby. Und nun erzählen Sie mir alles über die Andrews.»

«Bis jetzt waren sie nur ein spärlicher Fang», sagte Bobby lächelnd. «Der Mann ist ein Trottel. Und die Frau mag mich zu meinem Pech nicht. Sie hat selbst ein ganz ordentliches Vermögen, aber sie ist mir felsenfest widerstanden ... Sie besitzt das Gehirn in dem Verein.»

«Ach, tatsächlich? Und sie ist noch nicht in Ihre überaus attraktive Arme gesunken, Bobby? Wie seltsam.»

«Das finde ich auch», stimmte ihr Bobby ohne Bescheidenheit zu. «Der Großteil dieses Pöbels ist rücksichtslos scharf aufs schnelle Geld. Sie aber hat Mordsanteile in einigen sehr guten Firmen. Keine argentinischen Goldminen für Mrs. Andrews. Zum Glück habe ich bei meiner Vertreibung in weiser Voraussicht meine nützlichen Geschäftsverbindungen mit hierher gebracht, und Andrews hat maßgebliche Aktienanteile in mehr als nur einer Gesellschaft erworben. Ich werde schon bald eine große Sache mit ihm am Wickel haben. Wenn es klappt, werden wir reich dabei.»

«Und wenn es nicht klappt?»

«Dann werde *ich* reich.»

«Viel Glück dabei, Bobby. Ihr Geheimnis ist bei mir sicher aufgehoben – aber lassen Sie es mich wissen, wenn Sie dem Schneekönig auf die Spur kommen. Ich interessiere mich für ihn.»

«Ich werde Lilien zu Ihrer Beerdigung schicken», versprach Bobby.

Phryne flog davon und war sogleich mit den vier Politikern in eine Diskussion über die Wasserversorgung verwickelt.

Das Abendessen, das herrlich angerichtet und köstlich zubereitet war, war eine angenehme Überraschung für Phryne, und sie sprach der Gastgeberin ihr Lob aus. Mrs. Sanderson lächelte.

«Wer so viele Abendessen ausgerichtet hat wie ich, meine Liebe, der ist für alles gewappnet. Politiker scheinen die eine Hälfte ihres Lebens mit Reden und die andere mit Essen zu verbringen. Heute haben wir nur einige sorgsam ausgewählte Gäste – manche der Parlamentarier fressen wie die Schweine. Freuen Sie sich auf das Konzert, Miss Fisher?»

«Und ob. Es findet zu Ehren des Krankenhauses statt, nicht wahr?»

«Ja, Madame Melba hat das Konzert selbst initiiert, um ihren weniger glücklichen Geschlechtsgenossinnen zu helfen. Der gesamte Erlös geht an das Queen Victoria Hospital – und dort können Sie das Geld wirklich brauchen. Madame Melba wollte keine Gage. Sie ist eine wirkliche Wohltäterin.»

«Haben Sie sie schon getroffen, Mrs. Sanderson?»

«Ja, gestern. Klein, unförmig und gebieterisch, aber mit einer wunderbaren Sprechstimme und ganz entzückendem Auftreten. Es wird sicherlich ein sehr interessantes Konzert. Ich hoffe, ich werde Dr. MacMillan dort treffen – ich habe ihr eine Freikarte für unsere Loge geschickt, da sie zum Essen nicht kommen konnte.»

«Dr. MacMillan? Meine Dr. MacMillan?» erkundigte sich Phryne.

«Ich wußte nicht, daß sie die Ihrige ist, meine Liebe, aber wenn Sie die schottische Ärztin meinen, dann ist sie es.»

«Woher kennen Sie sie, Mrs. Sanderson?»

«Ich bin im Vorstand des Queen Victoria Hospitals. Ich hoffe nur, daß sie einen Rock zum Anziehen gefunden hat. Ich befürchtete, die Melbourner sind noch nicht weit genug für ihre Hosen.»

«Wenn ich gewußt hätte, daß sie auch kommt, hätte ich sie höchstpersönlich angezogen», sagte Phryne. «Sie ist eine überaus bemerkenswerte Frau.»

«Ich weiß, meine Liebe! Sie mußte für ihr Studium nach Edinburgh gehen, doch die ganzen Männer wollten verhindern, daß sie Ärztin wird und haben sogar versucht, Frauen aus den Anatomiesälen zu verbannen. Möge Gott ihnen verzeihen. Doch nun mußte ich in der Zeitung lesen, daß sie erneut versuchen, Frauen aus den Krankenhäusern fernzuhalten, indem sie sagen, daß die Ärztinnen gefälligst in das Frauenkrankenhaus gehen sollen, anstatt die männliche Vorherrschaft in den anderen zu stören. Wirklich, das dumme Benehmen der Männer macht mich ernsthaft wütend. Dr. MacMillan muß voller Hingabe gesteckt haben, um überhaupt Ärztin werden zu können.»

Das Galakonzert hielt alles, worauf die Melbourner gehofft hatten. Das Rathaus war dichtgedrängt, alle Plätze waren ausverkauft, und zu Phrynes Freude war Dr. MacMillan dort, die ein gesellschaftsfähiges Abendkleid aus dunklem Samt trug, aber wie immer nach Jod roch.

«Sie sind auch hier, Phryne? Wie Sie sehen, trage ich meinen Sonntagsstaat. Sie haben mich angezogen wie ein kleines Kind und mir die Hosen verboten. Ich habe all meinen Patientinnen befohlen, ja mit der Geburt zu warten, bis ich zurück bin, es sollte also nichts schiefgehen. Ist diese Frau Melba gut bei Stimme?»

«Ich glaube schon. Pst, da kommt sie.»

Madame Melba wurde vom Dirigenten begrüßt und vom Publikum mit stürmischem Applaus empfangen. Die Sängerin trug eine wallende Seidenrobe, die am Saum und an der Schulter so reich mit Perlen bestickt war, daß Phryne bei sich dachte, daß sie eine sehr starke Frau sein mußte, um unter dem Gewicht des Kleides aufrecht stehen zu können.

Das Orchester begann mit dem Addio aus *La Bohême,* und Madame Melba begann zu singen.

Ihre Stimme, die klar und perlend war, ohne auch nur eine Spur dünn zu sein, hatte etwas Gebieterisches; jedes Wort wurde deutlich artikuliert und jede Tonhöhe mit höchster Präzision getroffen. Doch womit sie Phrynes Herz im Sturm eroberte, war das unglaubliche Gefühl, das sie in jeden einzelnen Ton legte. Sie war eine sterbende Kurtisane, die Abschied vom Leben und von der Liebe nahm, und Phrynes Augen füllten sich mit Tränen. Die kleine korpulente Frau war verschwunden, was sie sah waren Sehnsucht und Melancholie, weiße Vorhänge und entschwindende Freier. Sie beendete die Arie und gab dem Orchester Gelegenheit, sein Können an verschiedenen Rondos zu beweisen; dann kehrte sie mit dem Lied vom Weidenbaum aus *Othello* zurück, und nach dem Ave Maria hatte sie den Großteil ihres Publikums zum Weinen gebracht.

Zum Schluß kam sie noch einmal bekränzt und bis zu den Knien in Blumen watend auf die Bühne und sang Voi che Sapete mit einer Klarheit und Souveränität, daß ihr das Publikum zu Füßen lag, ihr zujubelte, Blumen warf und ihr so lange applaudierte, bis ihnen die Handschuhe aufplatzten.

«Schöne Stimme», sagte Dr. MacMillan. «Damit könnte sie Eis zum Schmelzen bringen.»

«Ich muß mit Ihnen sprechen», sagte Phryne, während sie noch dabei war, aus diesem Traum aus Musik zu erwachen. «Ich werde Ihnen vielleicht einige Sachen schicken, die auf mineralische Gifte untersucht werden müssen – könnten Sie das für mich tun?»

«Ja, oder zumindest kann das Labor es tun. Was ist mit

dem Kokain, Phryne? Wagen Sie sich damit nicht ein bißchen zu weit aufs Wasser hinaus?»

«Ja, und dort gibt es Haie. Hier, nehmen Sie das und geben Sie davon zwanzig Pfund an das Mädchen, daß Ihnen
die Proben bringt – sie heißt entweder Maureen oder Brigit –, und ich werde Sie morgen aufsuchen.»

Phryne küßte Dr. MacMillan zum Abschied, dankte ihrer
Gastgeberin für den hervorragenden Abend und stürzte sich
in die wogende Menge, um ins Windsor zurückzukehren.

«Ich hoffe», sagte sie zu sich selbst, während sie den Hügel in Richtung Parlamentsgebäude hinaufstolzierte, «ich
hoffe, ich weiß, was ich tue.»

Sie traf auf Dorothy, die Tee trank und Zeitung las.

«Hatten sie einen schönen Abend, Miss?» fragte sie,
während sie ihre Tasse abstellte.

«Herrlich», rief Phryne über die Schulter, während sie in
ihr Schlafzimmer stürmte, um ihre Sachen auszuziehen.
«Hat jemand angerufen?»

«Ja, Miss, Mrs. Andrews rief an und fragte, ob Sie sich
noch an Ihr Versprechen erinnern, Sie bald zu besuchen.»

«Noch jemand?» ertönte Phrynes Stimme dumpf aus
ihren Kleidern.

«Nein, Miss, nur noch der Polizist. Er war sehr beunru-
higt, daß Sie aus waren, Miss. Er möchte, daß Sie ihn anrufen, sobald Sie zurück sind.»

«Ich werde ihn morgen anrufen – es ist schon nach Mitternacht. Gib mir bitte einen Morgenmantel, Dot.»

Dot reichte ihr den Morgenmantel, und Phryne kam aus
dem Badezimmer.

«Da ist ein Brief für Sie, Miss.»

Phryne nahm den Umschlag. Ganz oben links befand sich das Emblem von Scott's Hotel. Sie riß ihn auf.

«Liebste Phryne», begann der Brief mit ausladender, extravaganter Handschrift. «Bitte gestatte mir noch einmal, dem Tempel Deiner Schönheit zu huldigen. Ich werde um elf Uhr zu Dir ins Hotel kommen.» Unterschrieben war mit «Dein Dir ergebener Sascha.» Damit war klar bewiesen, daß Sascha es auf ihr Geld abgesehen hatte. Phryne schnaubte wütend, knüllte den Brief zusammen und warf ihn in den Papierkorb. Aber immerhin, er hatte doch seine Reize, dachte Phryne, als sie ins Bett schlüpfte.

Mit einem kleinen Lächeln schlief sie ein, und ihr verräterischer Körper erinnerte sich nur zu gut an Sascha. Zwei Stunden später wachte sie erhitzt und durchgeschwitzt auf, und das zweite Bad, das sie in dieser Nacht nahm, ging einzig und allein auf Saschas Rechnung.

DREIZEHN

In diesem Dunkel gedeiht Gift.
Im Tränenwasser
brechen seine schwarzen Blüten auf.

Eine andere weinende Frau,
Wallace Stevens

Polizistin Jones befestigte eine rote Geranie an der Schulterpartie ihres billigen, dünnen Kostüms und ging die Stufen zum Bahnhof hinauf. Sie war um zehn Minuten vor drei angekommen, und nun war es fünf nach. Sie befürchtete, George der Schlächter hätte vielleicht Lunte gerochen und würde nicht auftauchen. Mehr aus ihrer Aufregung heraus als aus Furcht verschränkte sie die Hände, an denen kein Ehering zu sehen war, vor ihrem künstlich ausgepolsterten Bauch. Sie beobachtete den Verkehr, der um den Bahnhof in der Flinders Street immer sehr dicht war, und bemerkte ein verbeultes Taxi, von dem sie sicher war, daß sie es bereits vor fünf Minuten hatte vorbeifahren sehen. Nun fuhr es wieder vorbei. Sie ging den Bürgersteig entlang, sah in das Schaufenster des Hutmachers und versuchte, gleichmäßig zu atmen.

Als sie sich wieder umdrehte, stand dort wie verabredet ein Lieferwagen, und ein großer Mann mit kurzem Haar gab ihr ein Zeichen.

«Bist du Joan Barnard?» fragte der Mann. Jones nickte. «Hast du das Geld?» Sie hielt ihre Geldbörse hoch. «Dann komm, hinten rein», und sie kletterte in den muffig riechenden Wagen und setzte sich auf den Boden. Durch die Fenster konnte sie nicht hindurchsehen. Es schien ihr, als bögen sie erst einmal ab, und dann noch einmal, und dann fuhren sie eine lange Straße hinunter, wobei sie ein paarmal ruckhaft anhielten. Das Getriebe war nicht in Ordnung und knirschte. Den Fahrer konnte sie nicht sehen.

Der Lieferwagen hielt in einer lärmenden Straße, in der es stark nach Küche roch. Die Tür wurde geöffnet, und sie wurde grob am Arm gepackt und so schnell herausgezerrt, daß sie nur Zeit hatte, festzustellen, daß sie in der Little Bourke Street waren und daß das Taxi, das ihr vorhin aufgefallen war, ganz in der Nähe stand.

Sie wurde durch eine Holztür, deren Lackierung Blasen geworfen hatte, in ein sehr altmodisch eingerichtetes Wohnzimmer geführt, in dem sich ein Klavier, einige Sessel und ein Tisch befanden, auf dem ein eingeglaster Wachsblumenstrauß stand. Völlig unpassend dazu standen in der Ecke gegenüber dem Fenster zwei Feldbetten mit alten Decken darauf.

«Hast du das Geld?» erkundigte sich der große Mann mit dem kurz geschorenen Haar und streckte ihr eine schmutzige Hand entgegen. Jones gab ihm den Zehnpfundschein, woraufhin er unangenehm grinste.

«Zieh deine Unterwäsche aus und leg dich auf den Tisch da, dann haben wir dich bald wieder in Ordnung», sagte er, als er die Wachsblumen und die Tischdecke vom Eßtisch herunternahm.

«Leg dich hin, und ich werde dir alle Probleme abnehmen. Dann kannst du dich davonmachen und wieder die Jungfrau spielen.»

Er kam auf sie zu, öffnete seine Gürtelschnalle, und Jones

wich zurück, bis sie gegen den Tisch stieß und tastete im Gehen nach ihrer Börse.

«Wenn du dich von deiner Last befreien willst, Mädel, dann bin ich der Richtige für dich. Ich gebe dir sogar noch Rabatt – wenn du dich ein bißchen gefällig zeigst. Wie wär's mit zehn Prozent?»

Jones fand ihre Trillerpfeife und blies mit voller Kraft hinein. Die Pfeife schrillte in dem kleinen Zimmer auf, und George der Schlächter, der noch immer die gläserne Kuppel und das Tischtuch umklammert hielt, machte einen Satz und rannte zur Zimmertür. Jones, die vor Ekel zitterte, sprang ihm hinterher, brachte ihn zu Fall und setzte sich mit ihrem ganzen Gewicht auf seinen Rücken, riß ihm die Hände nach hinten und zwang ihn mit Gewalt, die Arme zu beugen. Sein Widerstand brach, und er wimmerte.

Eine Minute später brachen drei Polizisten die Tür auf und nahmen Jones ihren Gefangenen ab. Sie legten ihm mit den Händen auf dem Rücken Handschellen an und führten ihn hinaus auf die Straße.

Das alte Taxi war noch immer da, und bei ihm standen zwei Männer. Der eine war groß und blond, der andere klein und dunkelhaarig.

«Das ist er», sagte der eine zum anderen.

Cec kam auf Jones zu.

«Ist das George Fletcher?» erkundigte er sich höflich. Jones nickte. Cec machte zwei Schritte, drehte das Gesicht des großen Mannes zu sich und verpaßte George dem Schlächter den vortrefflichsten linken Haken, den man in Little Lon seit dem großen Polizeimanöver gesehen hatte. Seine Fersen hoben vom Boden ab, sein Kinn flog nach hinten, und er fiel wie erschlagen in die Arme der erschrockenen

Jones. Bert und Cec gingen zurück zu ihrem Taxi und fuhren davon. Jones und ihre Kollegen hievten George den Schlächter in den Polizeiwagen und fuhren Richtung Russell Street.

«Wer war der Kerl mit der Linken?» fragte Oberwachtmeister Ellis.

«Ich weiß es nicht, aber wir werden diesen Vorfall nicht melden», antwortete Jones, während sie sich die Frisur ordnete. «Oder?»

«Ist er wirklich George der Schlächter?»

«Er ist es», antwortete Jones.

«Dann werden wir es nicht melden», stimmte Ellis zu.

Wie angekündigt, schlief Phryne bis Mittag, nachdem sie Dorothy aufgetragen hatte, den angeblich liebeskranken Sascha wieder fortzuschicken. Nachdem sie aufgewacht war, nahm sie ein leichtes Frühstück zu sich und machte sich dann auf in die Melbourner Badeanstalt. Für ein paar Pennys lieh sie sich dort ein Handtuch, bekam eine Umkleidekabine und konnte das große Schwimmbad benutzen. Sie zog ihren kurzen schwarzen Badeanzug an, der weder Rock noch ein Rückenteil besaß, zwang sich eine Gummibadekappe über die Haare, sprang ins Becken und begann, ihre Bahnen zu schwimmen. Sie hatte immer schon gefunden, daß sie beim Schwimmen besonders gut nachdenken konnte.

Sie kam zu dem Schluß, daß hier ein zweifaches Problem vorlag. Zunächst war da Lydia, die man scheinbar zu vergiften versuchte.

Dr. MacMillans Analyse der Haare und Fingernägel, die sie von dem irischen Dienstmädchen bekommen hatte, würden das wahrscheinlich beweisen. Aller Wahrscheinlichkeit nach handelte es sich um Arsen – Arsen war zu solchen Zwecken schon vor Jahrhunderten ein überaus beliebtes Mittel gewesen, und wie es aussah, war es das noch heute. Sollte Lydia kinderlos sterben, stand Andrews im Begriff, ein Vermögen zu erben, was ihn zum augenfälligsten Verdächtigen machte. Seine Geschäfte mit Bobby würden ihm keinen Gewinn einbringen – damit hatte Lydia recht. Bobby Matthews war nicht zu trauen. Aber konnte man Lydia trauen? Sie war wie ein Rankengewächs der heimtückischsten Sorte, doch in Geldangelegenheiten war sie ein solches Rechengenie, daß jeder Versicherungsstatistiker vor Neid erblassen würde, und sie war klug in ihrer Beurteilung anderer Menschen. Und da war noch das andere Problem. Was war mit Madame Bredas Badehaus?

Phryne erreichte den Beckenrand, wendete und schwamm zurück. Das Wasser spritzte über ihre Schultern hinweg und bildete um ihren Hals herum kleine Strudel. Sie war ganz allein im Schwimmbad, und jeder ihrer Spritzer schien nachzuhallen.

Madame Breda. Ausgeschlossen, daß sie mit Drogen handeln sollte. Dafür war sie zu aufrichtig und zu gesund. Aber dennoch, es handelte sich um ein großes Gebäude, dessen Rückfront an das Diebesnest, die Little Lonsdale Street, stieß. Phryne erinnerte sich schwach, an der Tür ein Messingschild gesehen zu haben, als das Dienstmädchen sie und die Prinzessin hereingelassen hatte … was hatte noch darauf gestanden? Sie drehte sich auf den Rücken und ließ sich mit geschlossenen Augen treiben. Ach ja. *Chasseurs et Cie*, Kosmetik. Jedoch war keines der Schönheitsmittel und Pflegeprodukte, die Gerda ihnen gezeigt hatte, von dieser Marke gewesen. Auf allen hatte sich Madame Bredas ägyptischer Vogel befunden. Wenn Madames Haus ein Zwischenlager für Drogen war, war es gut möglich, daß *Chasseurs et Cie* die Händler waren. Und die unentbehrliche Gerda war dann ihr Kurier. Gerda war die einzige Person, die Phryne das Päckchen mit dem echten Kokain in die Manteltasche gesteckt haben konnte. Dann hatte Gerda ihr auch die Nachricht zugesteckt, daß sie sich vor der Rose hüten sollte.

Madame besuchte ihre Kunden zu Hause, und Gerda begleitete sie – so war es gewesen, als man Sascha in Toorak erwischt hatte. Nichts konnte einfacher für Gerda sein, als die Personen, die von *Chasseurs-et-Cie*-Produkten abhängig waren, direkt in ihrem Haus aufzusuchen und den Kauf zu arrangieren. Gerda hegte einen Groll gegen Madame, und welche bessere Gelegenheit, um Rache zu üben, gab es, als ihren Schönheitstempel als Drogenumschlagplatz zu mißbrauchen?

Bei dem Wort Tempel mußte sie unweigerlich an Sascha und Sex denken. Mhmmm. Die junge Angestellte im Badetempel hatte sie auf sehr intime, lesbische Weise berührt und schien sehr geübt darin zu sein. War das der Grund, warum Lydia nie schwanger geworden war und so weiterhin Gefahr lief, ermordet zu werden? War sie eine Lesbierin? Lydia könnte schon seit ihrer Schulzeit lesbisch gewesen sein, und ihr Vater hatte gesagt, daß sie in Paris mit einer wilden Clique zusammengewesen wäre. Phryne wußte, daß es in Paris eine richtige lesbische Gemeinschaft gab, in der die Frauen Männerkleider trugen, im Bois ausritten und bestimmte Bars besuchten. Ihr alter Freund und Gigolo Georges Santin hatte sie in mehrere dieser Bars begleitet. Die Frauen dort schienen nichts gegen Georges zu haben. Anders als die meisten Gigolos mochte er Frauen wirklich gern. Phryne hatte nur wenig Neigung zur Homosexualität, aber die Lesbierinnenbars hatten ihr gefallen. Dort wurde eine ganz neue Gesellschaft erschaffen, die frei von männlicher Vorherrschaft war.

«Wo könnte ich wohl jemanden finden, der Lydia schon in Paris gekannt hat?» sagte sie laut, und ihre Worte hallten von den Wänden wieder. Keine Zeit.

«Ich sollte besser abwarten, was ich heute abend auf meiner Entdeckungsreise herausfinde», beschloß Phryne und tauchte zum Beckenrand. Aber wer war die Rose? Ein Mensch? Ein Ort? Vermutlich wollte man sie nicht einfach vor einem explodierenden Blumenstrauß warnen. Welche Eigenschaften zeichneten eine Rose im allgemeinen aus? Der Duft? Es gab sie in allen erdenklichen Farben. Phryne gab auf, stieg aus dem Becken und ging zum Thermalbad, um sich durchweichen zu lassen.

Um fünf war sie zurück im Hotel, genau rechtzeitig, um den Anruf einer hocherfreuten Dr. MacMillan entgegenzunehmen.

«Sie haben George den Schlächter gefaßt, meine Liebe! Der nette Polizeibeamte hat es mir gerade telefonisch mitgeteilt. Sie mußten den Polizeichirurgen holen. Ihr Cec hat dem Mistkerl den Kiefer gebrochen.»

«Gab es einen Kampf?»

«Nein, soweit ich verstanden habe, nicht. Cec hat ihm einfach eine verpaßt. Damit fällt mir wirklich ein Stein vom Herzen. Und er wird gestehen, sobald sein zusammengeflickter Kiefer es zuläßt, so daß Alice nicht als Zeugin auftreten muß. Und, was haben Sie mir zu diesen schauerlichen Reliquien zu sagen, die Sie mir geschickt haben?»

«Die Haare und die Fingernägel? Irgendwelche Spuren von Arsen?»

«Bis zum Bersten voll davon, Kleine. Der Haarwurzelanalyse nach zu urteilen, würde ich sagen, die Person nimmt seit ungefähr sechs Monaten Arsen. Sollten Sie nicht besser die Polizei informieren, Phryne? Stammen Sie von einer Leiche?»

«Nein, die Dame lebt noch. Ich werde die Polizei informieren, Elizabeth, aber erst, wenn ich es für richtig halte. Bewahren Sie die Proben sicher auf, und ich werde zu Ihnen kommen. Haben Sie Zeit, heute mit mir zu Abend zu essen?»

«Das habe ich nicht. In der Notaufnahme habe ich gerade eine Patientin mit einer Fehlgeburt. Auf Wiedersehen, Phryne, und passen Sie auf sich auf!»

Dr. MacMillan hatte sich besorgt angehört, dachte Phryne. Die Menschen machten sich immer Sorgen um Phryne. Dann haben sie etwas zu tun, dachte sie, und zog sich zum Abendessen um.

Als sie gegen elf in ihre Suite zurückkehrte, traf sie Dot an, die den jämmerlichen Haufen musterte, der von Phrynes Kleidern übriggeblieben war. Das Kleid war beim Trocknen knitterig und scheckig geworden, und der Riß, den Dot dem Saum zugefügt hatte, war ungeschickt ausgebessert worden. Dot hatte es in der Seele weh getan, den Stoff derartig zusammenzupfuschen, aber Phryne lächelte und sagte: «Großartig.» Sie blickte aus dem Fenster, aber es war nichts Ungewöhnliches zu sehen.

«Sag mal, Dot, was kommt dir als erstes in den Sinn, wenn du an Rosen denkst?»

Dot, die voll Trauer ihre Näharbeit betrachtete, sah auf.

«Hm, die Farbe, Miss. Rot oder Rosa, wissen Sie.»

«Ach so», sagte Phryne, und die Gewißheit stürzte so schlagartig über sie herein, daß ihr einen kurzen Moment schwarz vor Augen wurde. «Natürlich.»

«Ich weiß nicht, wie lange ich fort sein werde, aber warte nicht auf mich. Bleibe bitte so lange hier, bis ich wieder da bin. Und laß den Riegel vor der Tür. Laß niemand anderen herein als mich. Hast du verstanden? Ach, und hier ist dein Lohn im voraus – und ein Zeugnis – nur für den Fall.»

«Gut, Miss. Soll ich Ihnen beim Anziehen helfen?»

«Ja, verriegele die Tür und bringe mir meine Verkleidung.»

Dot tat, wie ihr geheißen und staffierte Phryne mit dem mitgenommenen Kleid, den sorgfältig zerlöcherten Strümpfen, den abgestoßenen Schuhen und dem verbeulten Hut heraus. Über der Schulterpartie hatte Dot drei der Federn abgeknickt, die nun traurig herunterhingen. Phryne nahm ihren gesamten Schmuck ab und schlang sich die Glasperlenkette zweimal um den Hals. Sie hing herunter bis an die Strumpfbänder.

«Schuhcreme, Dot, ich sehe zu sauber aus», erklärte sie und machte sich um den Hals herum einen Schmutzrand und schwarze Fingernägel. Mit Puder nahm sie den seidigen Glanz aus ihren Haaren und bemalte sich die Wangen dick mit Dots Rouge.

«Richtig scheußlich», rief sie, während sie sich im Spiegel begutachtete. «Wie spät ist es?»

«Halb zwölf. In dem Aufzug können Sie nicht aus dem Hotel gehen, Miss! Und was soll ich tun, wenn jemand anruft?»

«Sag ihnen, daß ich schlafe und dir Anweisungen gegeben hätte, mich nicht aufzuwecken; ich bin sicher, du wirst das hinkriegen. Ich werde niemanden hierherschicken, Dot, verriegele also die Tür und halte die Stellung, bis ich wieder da bin. Wenn ich heute nacht nicht zurückkomme, wartest du bis morgen mittag und bringst dann dieses Päckchen zu dem Polizeibeamten. Verstanden?»

«Ja, Miss.»

«Und übrigens werde ich nicht so hinausgehen. Gib mir den großen Schwarzen Umhang, den Hut kann ich unter den Arm nehmen. Habe ich alles ... Geld, Pistole. Zigaretten, Feuerzeug ... ja. Auf Wiedersehen, Dot. Bis morgen – oder bis irgendwann.»

Eingehüllt in den großen Umhang verschwand sie. Dot verriegelte die Tür, setzte sich hin und begann, sich Sorgen zu machen.

VIERZEHN

«Würdest du Clubs für Frauen gutheißen, Onkel?»
«Ja, aber nur, wenn jede andere Methode, sie zum
Schweigen zu bringen, versagt hat.»

Punch
Cartoon, 1928

In der miefigen Atmosphäre der Little Lonsdale Street lag eine Art hektischer Ziellosigkeit, die auf Phryne wie eine Droge wirkte. Während sie draußen bei Mutter James auf einem verrußten Hocker kauerte und so tat, als würde sie den ekelhaften Tee genießen, kamen mehrere Frauen in Sicht.

Die Straße, die am Tage ruhig war und einen schmuddeligen Anblick bot, erwachte erst gegen Mitternacht zu vollem Leben. Die kleinen, heruntergekommenen Läden waren erleuchtet, die Straße war voller Menschen, Stimmen und Musikgeräusche hallten von den schluchtenartigen Wänden der wenigen höheren Häuser wider, deren Rückfront an diese schäbige Durchgangsstraße stieß. Der Gestank nach Fisch und Chips, Staub, verbranntem Müll und ungewaschenen Menschen wurde vom Duft von Californian-Poppy-Pomade überlagert, die den Hauptbestandteil in den Haaren der jungen Männer auszumachen schien.

Phryne hatte eine Stunde lang das Treiben in der Apotheke beobachtet und war sich nunmehr ziemlich sicher, daß sich hier der Drogenumschlagplatz befand, den sie suchte.

Das Geschäft, das zur Straße hin offen war, hatte vorne eine große Ladentheke, auf dem zwei große Glasbehälter mit grüner beziehungsweise roter Flüssigkeit standen, die es für die Allgemeinheit als Apotheke sichtbar machten. Hinter dem Ladentisch standen ein kleiner dicker Mann und eine Angestellte mit wasserstoffblonden Haaren und einem grünen Fransenkleid, die der Laufkundschaft Pflaster und Pülverchen verkaufte. Ein paar gut gekleidete Kunden – einer sah sogar aus wie ein Gentleman – näherten sich dem Tresen und brachten raunend ihre Wünsche vor. Ihnen gab der kleine Mann rosa Päckchen mit einem Pulver darin und strich fünf Pfund dafür ein. Die einfacheren Leute kauften für zehn Shilling ein Tütchen, in dem sich wahrscheinlich ein Salzlöffel voll desselben Pulvers befand. So sehr Phryne auch die Ohren spitzte, sie konnte nicht verstehen, was die Kunden sagten.

«Zeit für einen Bummel, Jungs», nuschelte sie Bert zu, der seinen Tee hinunterstürzte und sich erhob. Cec blieb, wo er war. Phryne schwankte ein wenig in den abscheulichen Schuhen, nahm Berts Arm und trippelte auf die Apotheke zu.

«Du wartest hier, Schatz, ich werde uns was besorgen», versprach sie und näherte sich gemächlich der Theke.

Der kleine dicke Mann wandte seine Aufmerksamkeit dem Flittchen mit den halblangen Haaren zu. Er hatte sie noch nie vorher gesehen, doch er pflegte zu sagen: «Man kann nicht jedes leichte Mädchen in Little Lon kennen.» Phryne nickte ihm zu.

«Etwas von dem rosa Pulver, bitte», nuschelte sie. Der Apotheker zögerte, als wartete er darauf, daß sie einen Werbespruch zu Ende aufsagte. Phrynes Gehirn, das bereits

Überstunden machte, versorgte sie mit einer Idee. An jedem Bahngleis prangte der Spruch: Dr. Parkinsons rosa Pillen gegen blasse Haut.

«Dieses rosa Zeug gegen blasse Haut», setzte sie ihren Spruch fort und hielt ihm ihren Zehnshillingschein entgegen. Der Mann nickte und tauschte den Schein gegen ein rosa Papiertütchen aus, auf dem Peterson's rosa Pulver gegen blasse Haut stand und das eine kleine Menge der gesuchten Substanz enthielt. Phryne nickte und ging zurück zu Bert.

«Los, Matrose», sagte sie und lehnte sich schwer gegen ihn. «Gehen wir wieder zu mir.»

Bert legte den Arm um sie und führte sie dorthin zurück, wo der Morris im Rinnstein stand, der wie gewöhnlich etwas durchhing. Cec folgte ihnen lautlos.

«Bringen Sie das zu Dr. MacMillan ins Frauenkrankenhaus und kommen Sie dann zurück, Cec. Bert und ich setzen unser Trinkgelage fort», ordnete Phryne an, während sie ihm das Tütchen in die Tasche stopfte. «Zurück zu Mutter James, mein Herz.»

«Haben Sie nicht das gekriegt, was Sie wollten?» zischte Bert. Er fand die ganze Angelegenheit nervenaufreibend, auch wenn die Tatsache, daß Phryne sich so eng an ihn klammerte, einiges wettmachte.

«Noch nicht. Ich möchte sehen, wer noch alles hierher kommt», antwortete Phryne und dirigierte Bert wieder die Straße hinunter.

Sie fanden wieder einen Platz bei Mutter James. Das Wirtshaus war, was Phrynes Erfahrungen betraf, einzigartig. Es handelte sich um die Front eines alten Hauses mit einer zur Straße hin offenen Veranda. Mutter James, eine

Irin von ungefähr dreihundert Jahren mit einem sauertöpfischen Gesicht und Armen aus Stahl, schenkte höchstpersönlich ihr übles Gebräu an die Gäste aus, die entweder auf der Straße oder auf der Veranda saßen. Aus dem Haus drang ein ekelerregender Gestank nach Exkrementen und frischem Bratfett. Phryne dachte bei sich, daß sie nichts, nicht einmal die ärgste Hungersnot dazu bringen könnte, etwas aus dieser Küche zu essen, in die sich kein Gesundheitsbeamter hineinwagen würde.

Drei oder vier Damen der Nacht saßen unter dem verzinkten Blechdach der Veranda bei Gin und Bier und musterten Phryne eindringlich. Ihr wurde bewußt, daß es hier vor Gefahren nur so wimmelte. Sie war nicht nur hinter einem Kokainring her, nein, eines dieser Mädchen könnte daran Anstoß nehmen, daß sie sich in ihrem Jagdrevier aufhielt und eine Szene machen oder ihren Zuhälter rufen. Ein häßlicher Gedanke. Sie sagte laut zu Bert: «Glaube, wir sollten besser 'nen Abgang machen, Schatzi. Ich muß morgen wieder in die Fabrik.»

In den Augen der Frauen blitzte es kurz auf, und sie wandten den Blick ab. Eine Amateurin, dachten sie, nur hier, um sich ein bißchen zu amüsieren und ein kleines Extra für die Lohntüte zu bekommen. Keine Bedrohung. Phrynes Atem wurde ruhiger.

«Fast, als würde man darauf warten, zum Sturmangriff überzugehen», bemerkte Bert.

«Haben Sie nicht gesagt, der Krieg wäre eine kapitalistische Verschwörung?» murmelte Phryne.

«Ist er auch. Aber wir waren dabei, Cec und ich. Wir sind uns zum ersten Mal in einer haarigen Situation in Gallipolli begegnet», fuhr Bert fort. «Er hat mir das Leben gerettet,

indem er mir die Birne in den Schützengraben hinunter-
drückte, als ein Türke mich aufs Korn genommen hatte.
Wir sind da lebend rausgekommen, aber viele andere nicht.
Wir hatten Glück», schloß er. «Und beim Warten muß ich
immer daran zurückdenken.»

Es kamen noch mehr Kunden zu dem Koksverkäufer.
Phryne überschlug kurz, daß er in drei Stunden ungefähr
dreihundert Pfund eingenommen hatte. Sie gratulierte sich
selbst zu ihrer Aufmachung. Ihr grellbuntes Kleid und die
zerlöcherten Strümpfe paßten haargenau in das Milieu. Es
schien gerade nichts Aufregendes vor sich zu gehen, und sie
war drauf und dran, Bert einen Rippenstoß zu versetzen
und ihm vorzuschlagen, es für heute nacht genug sein zu lassen, als eine verhüllte Gestalt für einen Moment unter einer
Straßenlaterne stehenblieb. Sie hielt den Atem an.

«O Gott», flüsterte sie und neigte den Kopf zur Seite. Bert
sah eine große Gestalt, die aussah, wie aus einem Theater-
stück, auf die Apotheke zuschreiten und in forderndem Ton
sagen:

«Kokain.»

«Das ist Sascha», flüsterte Phryne entgeistert. «Er wird
alles vermasseln!»

«Ist das der Kerl, den wir mit dem Messer in der Seite auf-
gegabelt haben?» flüsterte Bert, nachdem er seinen Mund
an Phrynes Ohr geführt hatte. Sie nickte.

«Müssen wir ihn retten?» fragte Bert lustlos. Phryne gab
ein schrilles Kichern von sich und schlug ihm auf die Hand,
die sie auf ihr Knie gelegt hatte.

Das Gesicht des Apothekers hatte eine aufschlußreiche
Kalkschattierung angenommen, und seine Gehilfin war
wohlweislich verschwunden. Mutter James' Stammgäste

richteten sich auf und hörten zu. Drei Männer bewegten sich langsam und mit einer für Little Lon ungewohnten Direktheit auf Sascha zu. Phryne knirschte mit den Zähnen. Nur ein Künstler oder ein Trottel konnte sich so verhalten!

«Cec müßte eigentlich schon zurück sein», sagte Bert besorgt. «Nicht seine Art, einfach so zu spät zu kommen.»

«Kennen Sie die?» fragte Phryne. Bert nickte, und Phryne erkannte mit Verspätung Gangster Eins und Gangster Zwei.

«Cokey der Gentleman, und der Hintere ist der Bulle», sagte er.

Phryne starrte ehrfürchtig auf den Bullen. Er mußte an die ein Meter fünfundneunzig messen und hatte Schultern wie drei Axtstiele nebeneinander und Hände wie Schaufeln. Während sie auf Sascha zusteuerten, nahm der Bulle seine Zigarette aus dem Mundwinkel und drückte sie in seiner Handfläche aus.

«Haben Sie das gesehen?» fragte Phryne.

«Ja. Früher war er Maurer», sagte Bert unbeeindruckt.

«Da hilft leider alles nichts, aber wir müssen Sascha retten», sagte Phryne seufzend. Als sie aufstand, hielt Bert sie zurück.

«Sie wollen doch herausfinden, wer hinter all dem steckt. Sie werden ihn zum Boß bringen, und wir folgen ihnen.»

«Was ist, wenn sie ihn gleich hier umbringen?»

«Nein, sie wollen herauskriegen, was er weiß», sagte Bert aus dem Mundwinkel, und begann, sich eine Zigarette zu drehen.

«Wird denn die Polizei nicht kommen?»

«In Little Lon? Die kommen nur her, wenn sie unbedingt müssen. Schauen Sie sich den Kampf an, und dann werden wir sehen. Hier werden gleich im Handumdrehen Hunderte von Kerlen auftauchen, ein Kampf zieht sie an wie ein Honigtopf die Fliegen – Sie werden schon sehen!»

Der erste Angreifer hatte Sascha erreicht und zu einem Fausthieb ausgeholt. Sascha duckte sich, und die Faust des Bullen traf die Hauswand, durchschlug die dünne Mörtelschicht und das Lattenwerk und blieb stecken. Gentleman Jim schlüpfte unter dem Arm seines Kumpanen hindurch, täuschte eine Rechte an und schlug ihm, als Sascha ihr auswich, mit einer tückischen Linken vor die Brust. Sascha taumelte, fing sich wieder, trat heftig nach seinem Knie, das er verfehlte und gab Gentleman Jim schließlich einen Tritt vors Schienbein. Seine Ausdrucksweise war alles andere als gentlemanlike, als Cokey Billings, der offensichtlich voll mit Kokain war, Sascha von hinten griff und ihm einen beschwerten Schal um den Hals schlang.

«Kämpfen, kämpfen», brüllten Mutter James' Stammgäste im Chor, und einige von ihnen stolperten auf die Straße, um sich an der Keilerei zu beteiligen. Es wurden wahllos Schläge ausgeteilt, von denen einer mit ziemlicher Wucht auf Phrynes Schulter landete. Sie trat ihren Gegner ins Schienbein und folgte Bert auf die Straße. Dort gab es ein einziges Gekreische und Gestöhne, und man hörte die dumpfen Geräusche von Faustschlägen und Körpern, die auf dem Boden aufschlugen. Bert duckte sich und wand sich durch die Menge, wobei er über Füße und den ein oder anderen Körper steigen mußte, bis er sich zum Eingang der Apotheke durchgekämpft hatte.

Sie kamen gerade noch rechtzeitig, um zu sehen, wie der Bulle, der brüllte wie sein Namensvetter, seine Hand aus dem splitternden Holz der Mauer befreite und hinter dem Gentleman und Cokey hinterherstolperte, der sich Sascha über die Schulter geworfen hatte. Der kleine dicke Apotheker versuchte, seine Rolläden herunterzuziehen, aber es waren zu viele Menschen im Weg. Am Ende des Tresens wurde eine Tür geöffnet, die sich hinter der Dreiergruppe schloß.

«Raus hier, Bert», schrie Phryne, und sie kämpften sich aus dem Pöbel heraus in eine relativ ruhige Seitenstraße.

«Wo sind wir?»

«Das ist die Synagoge. Die Gasse hier führt zu den Grünanlagen. Ich frage mich, wo Cec bleibt. Hoffentlich muß ich den Tag nicht mehr erleben, an dem man sich auf niemanden mehr verlassen kann.»

Phryne zog ihr Kleid nach unten und fuhr sich mit den Händen durch die Haare. Dann zog sie Bert ganz plötzlich fest in ihre Arme.

Berts Mund senkte sich auf den ihren, und sie küßte ihn gierig. Sein Mund war weich und stark, und ihre Arme, die sich enger um seine Taille schlangen, fühlten seinen muskulösen Körper. Er zog sie ganz nah zu sich heran, und sie schwankte auf ihrem abgebrochenen Absatz.

Ein Lichtschein fiel auf sie. Bert hob den Kopf, hielt sie jedoch weiter in seinen Armen.

«Sehen Sie nicht, daß ich beschäftigt bin?» knurrte er, und der Träger der Lampe entschuldigte sich und verschwand. Es war Cokey Billings.

«Noch sind sie nicht hinter uns her», flüsterte er.

«Nein, noch nicht. Wohin geht dieses Haus? Übrigens, Sie müssen mich nicht ganz so fest halten.»

Bert ließ sie sofort los.

«Ich glaube, es grenzt hinten an das Badehaus», sagte er langsam.

«An Madame Breda?» fragte Phryne. Sie zündete sich eine Zigarette an, eine billige ortsübliche Marke, die zu ihrer Rolle paßte, und lehnte sich gegen die Gassenmauer. «Den Kämpfenden scheint langsam die Puste auszugehen.»

Bert schielte um die Ecke.

«Ja, das geht nicht mehr lange. Da ist Cec. He, Kumpel! Ich hab das richtige Flittchen für uns!» schrie er, und Cec kam gelassen näher. Ohne Aufmerksamkeit auf sich zu lenken, kam er um die Ecke gebogen.

«Sie sagt, es sei Koks», sagte Cec. «Und nun?»

«Lauter Probleme», sagte Phryne und skizzierte ihm kurz die Lage.

«Jetzt stehen wir also hier, und diese Mauer hier trennt uns von Sascha. Ich glaube, die Apotheke ist die Rückseite von Madame Breda. Was sollen wir tun?»

«Sie sind der Boß», sagte Cec nicht gerade hilfreich. Phryne konzentrierte sich. In diesem Moment ertönte ein gellender Schmerzensschrei, der von einer Flut russischer Flüche gefolgt wurde.

«Na, tot ist er jedenfalls nicht», sagte Bert. Sie sahen sie beide an. Phryne war wie elektrisiert von dem Schrei. Sascha war zweifelsohne ein Dummkopf, der bei jedem Trottelwettstreit der westlichen Hemisphäre den ersten Preis gewonnen hätte, aber immerhin hatte Phryne neben ihm gelegen und eine tiefe Zuneigung zu seinem Körper gefaßt, der nun hinter der hohen Steinmauer gequält wurde.

«Ich werde hinüberklettern», entschied sie. «Können Sie mir Hilfestellung geben?» Cec sah Bert an, der mit den Achseln zuckte. Die Mauer war nur zwei Meter fünfzig hoch. Bert bückte sich und legte die Hände ineinander.

«Bleiben Sie in der Nähe», flüsterte Phryne und warf

ihnen aus ihrem grell geschminkten Gesicht ein strahlendes Lächeln zu. «Die Sache könnte jetzt spannend werden.»

«Ist das alles?» wollte Bert wissen.

«Holen Sie die Polizei», fügte sie hinzu, stieg mit einem Fuß auf Berts Hände und sprang leicht hoch. Sie erklomm mit gespreizten Beinen die Mauer, so daß kurz ihre Strümpfe aufblitzten und ließ sich an der anderen Seite hinunter, indem sie sich ganz gestreckt hängen und sich dann so leise wie möglich fallen ließ.

Der Hinterhof der Apotheke war feucht, glitschig und stockdunkel. Phryne mußte sich an der Mauer entlangtasten, um das weit entfernt liegende Haus zu erreichen, und hielt nur an, wenn sie sich in etwas verheddert hatte, was sich anfühlte wie mehrere hundert Meter nasse Wäscheleine. Der Hof stand voll mit alten Dosen und Flaschen, und schließlich ließ sie sich fallen und krabbelte auf allen vieren durch den Müll. So machte sie näher mit dem widerlichen Boden Bekanntschaft als ihr lieb war, und sie war erleichtert, als sie die Hauswand und durch Weitertasten schließlich die Tür fand.

Unter der Tür lief eine Lichtspur entlang, und sie preßte ihr Ohr gegen das Holz. Die Stimmen waren in dem Gemurmel nicht zu erkennen. Sie tastete sich weiter und stieß auf ein Fenster, das hoch und schmutzbedeckt war, aber an dem sie besser horchen konnte als an der Tür.

Ihr Herz schlug ein gutes Stück schneller und auch ihr Atem ging schneller, aber sie amüsierte sich. Man wird als Abenteurerin geboren und nicht dazu gemacht.

«Dann bringen Sie mich zu Ihrem König», brüllte Sascha heiser. «Ich möchte ihn kennenlernen, bevor ich sterbe!»

«Du wirst ihn schon noch sehen, Spaghettifresser, er stirbt vor Neugier, dich kennenzulernen! Du und deine Familie, ihr habt ihm viel Ärger gemacht», sagte der Gentleman. «Wo sind die lästigen Frauenzimmer? Wir sollten Ihrer Hoheit die ganze Bagage vorführen.»

«Ich weiß es nicht», sagte Sascha düster. Dann herrschte eine Zeitlang Schweigen, und ein Streichholz wurde angezündet. Dann hörte sie wieder die Schreie. Das Geräusch zerrte an Phrynes Nerven. So lange die Chance groß war, das jemand die Tür im Auge behielt, konnte sie es dort nicht versuchen, also tastete sie sich wieder an der Hauswand entlang, bis sie um die Ecke herum und außer Hörweite war. Auf der einen Seite stieß das Haus an ein anderes Haus an; das war nicht gut. Langsam und geräuschlos bewegte sie sich zurück auf die rechte Hausseite und fand heraus, daß es zwischen dem Haus und der Steinmauer einen schmalen, sechzig Zentimeter breiten Gang gab. Sie glitt den Spalt entlang in der Hoffnung, ein unbewachtes Fenster zu finden.

Die Hintertür wurde krachend aufgestoßen und Phryne blieb, den Mund gegen den Stein gepreßt, bewegungslos stehen. Der Schein einer elektrischen Taschenlampe leuchtete die Gegend ab und blendete sie. Dann wurde die Tür wieder zugeschlagen.

«Nee, keiner da», hörte sie den Bullen sagen, als die Tür zuging. «Bißchen flatterig, was, Cokey.»

«Klar ist der flatterig», dachte Phryne und krallte sich mit den Fingern an etwas, was wohl ein Fenstersims sein mußte und holte ein Messer aus ihrem Strumpfband. Sie fand tastend das Schnappschloß und hob mit etwas Gewalt und nur wenigen Quietschgeräuschen, die ihr fast das Herz stehen ließen, das Fenster an und zog sich hoch. Sie stieg in ein unbeleuchtetes Zimmer, schloß das Fenster hinter sich und setzte sich horchend auf den Sims.

Sie hatte das Messer noch nicht zurückgesteckt, als sie ohne Vorwarnung angegriffen wurde, und sie stach mit aller Kraft zu und fing einen zusammensackenden Körper auf. Obwohl sie durch einige Lehrmeister der Unterwelt im Straßenkampf ausgebildet worden war, hatte sie noch nie jemanden erstochen, und sie mußten ihren Brechreiz bekämpfen, als sie unter ihrem Angreifer hervorrollte, wodurch der Körper zu Boden plumpste. Von der Straße drang ein schwaches Licht durch das Fenster, als sie den Körper umdrehte, sah sie, daß der Angreifer Madame Bredas Dienstmädchen Gerda war. Offenbar war sie in ihrem Schlafzimmer. Gerdas schlaffe Hand gab das Küchenbeil frei, das sie bei sich gehabt hatte. Phryne horchte an ihrer Brust. Sie lebte noch. Das Messer war unter dem Schlüsselbein eingedrungen und hatte ihr eine häßliche, wenn auch nicht tödliche Wunde beigefügt.

Phryne zündete ein Streichholz an, suchte nach Gerdas Kerze und riß ein Nachthemd vom Bett, um die Wunde zu verbinden. Da Phryne das Messer nach dem Stich losgelassen hatte, obwohl man ihr mehr als oft genug eingetrichtert hatte, das nicht zu tun, war nicht viel Blut geflossen. Sie vergewisserte sich, daß Gerda lediglich ohnmächtig war, schnürte sie so fest zusammen wie eine Mumie und benutzte den Rest des Frauenkleidungsstücks, um sie ans Bett zu fesseln und sie zu knebeln. Phryne hatte den leisen Verdacht, daß Gerda, wenn sie erwachte, nicht bester Laune sein würde. In der Zwischenzeit gab es unten Sascha, der immer noch schrie und den Schneekönig, mit dem sie sprechen mußte.

Phryne schlich mit dem Messer in der Hand zur Tür und horchte. Sie hob Gerdas Küchenbeil versuchsweise an und beschloß, daß es für den wendigen Einsatz doch zu schwer war und legte es unter Gerdas Bett. Aus der Küche war kein Laut zu hören, aber sie hörte Schritte auf dem Flur. Ihr stieg ein köstlicher Hauch von Madame Bredas spezieller Duftmischung in die Nase, und sie sehnte sich danach, in den Vorderteil des Hauses zu gehen und sich kurz zu waschen. Gerda hatte einen Waschkrug und eine Waschstelle, und Phryne entfernte den Schmutz des Hofes mit einer guten Seife, während sie zuhörte, wie die Schritte im Flur näher kamen und sich wieder entfernten.

Nachdem Phryne ihre Kerze gelöscht hatte, öffnete sie die Tür einen Spalt breit und sah Cokey Billings. Fingernägel kauend näherte er sich der Eingangstür, öffnete sie, sah hinaus, seufzte auf und schloß sie wieder. Anscheinend war es schon einige Zeit her, seit er zum letzten Mal etwas unternommen hatte. Es war unmöglich, sich an ihm vorbeizustehlen. Sascha gab keinen Laut von sich – was taten sie mit ihm? Hatten sie ihn umgebracht? Phryne wühlte in Gerdas Kleidern und fand einen Bademantel. Sie zog ihre löcherigen Strümpfe aus, steckte ihre Pistole in die Tasche des Bademantels und spähte wieder nach draußen. Gentleman Jim hatte sich zu Cokey gesellt.

«Renn hier nicht rum wie ein Tier im Käfig», fuhr ihn der Gentleman an. «Seine Majestät hat dir vier Dosen am Tag erlaubt, und die hast du gehabt. Bis morgen sind's nur noch drei Stunden.»

«Es hält nicht mehr so lange vor wie früher», jammerte Cokey. «Nur eine Nase ... nur einmal kurz schnuppern ... meine Nerven zittern ...»

«Nein, ich sag's noch einmal, der König hat gesagt, vier Dosen», erwiderte er scharf.

«Nur ... ein ganz kleines bißchen ... niemand wird es bemerken ...», bettelte Cokey, und der Gentleman gab nach und zog ein Briefchen aus der Tasche.

«Denk dran, nur dies eine Mal», sagte der Gentleman und stolzierte in die Küche. Phryne wartete, bis Cokey mit geschlossenen Augen auf der Treppe saß und huschte dann in den Vorderteil des Hauses. Cokey war in seine eigene Welt entschwunden und bemerkte sie nicht.

FÜNFZEHN

Aus wiederentflammter und neu belebter Erschöpfung,
Aus unfruchtbarer und unreiner Wollust,
Aus monströsem und vergeblichem Tun: eine bleiche
Und giftige Königin.

Dolores,
Algernon Swinburne

Dr. MacMillan erhob sich aus ihrem Bett, nahm ein weiteres geheimnisvolles Paket von einem wortkargen Boten entgegen und trottete in ihren Hausschuhen hinunter ins Labor, um die üblichen Tests durchzuführen. Sie fand heraus, daß es sich um normales Kochsalz, Koschenillefarbe und ungefähr fünf Prozent Kokain handelte, schrieb eine kurze Analyse, wickelte sie zusammen mit der Probe zu einem Bündel und legte es in den Laborsafe.

«Ich hoffe, daß ihr Abenteuer sich langsam dem Ende nähert», murmelte Dr. MacMillan, während sie sich mit dem Gaskocher in der Nachtschwesternküche Tee kochte. «Ich mache mir Sorgen um die Kleine.»

Sie hatte ihre Tasse fast ausgetrunken, als eine aufgeregte Lernschwester kam, um sie zu holen. Noch immer besorgt, stürzte sie schnell den Rest Tee hinunter und stapfte davon, um bei einer Steißlagengeburt auf Station vier behilflich zu sein.

Dot, die bei verriegelter Tür im Bett lag und schlief, hörte ein kurzes Schlagen und dann, wie jemand die Tür aufschloß. Während die Tür zweimal leicht gegen den widerstehenden Riegel gedrückt wurde, lag sie wie erstarrt da und versuchte, die Luft anzuhalten. Sie hörte ein verärgertes Seufzen, und dann wurde die Tür wieder geschlossen. Den Rest der Nacht über geschah nichts, aber Dot konnte nicht schlafen. Sie zog sich die Decke über den Kopf und wünschte sich, sie hätte Collingwood nie verlassen.

Phryne fand sich, außerhalb von Cokeys Blickwinkel, in Madame Bredas Büro wieder und ging bis zu den Dampfbädern, nur um sicher zu gehen, daß es sich um das gleiche Haus handelte. Überall roch es nach der köstlichen Duftmischung. Sie kehrte ins Büro zurück, ließ die Tür einen Spalt weit offen und fing an, es im Licht, das vom Flur hereindrang, zu durchsuchen. Sie fand eine abgeschlossene Schublade, brach sie auf und holte einen Stoß von Papieren hervor. Rechnungen für die Lieferung von Badesalzen und Kosmetikpräparaten aus Frankreich. Von *Chasseurs et Cie*. Päckchen mit rosa Pulver. Sie legte die Rechnungen wieder in die Schublade und wich zurück, als Cokey Billings plötzlich krachend die Tür aufriß.

«Wer sind Sie?» wollte er wissen.

Phryne nahm einen Akzent an. «Ich bin Gerdas Kusine. Ich habe mich auf dem Weg ins Badezimmer verlaufen.» Sie schlug die Augen nieder, so, als wollte sie seinem Blick ausweichen, und zog den Bademantel vor der Brust enger zusammen. Wäre Cokeys Scharfsinn nicht durch die letzte Dosis wiederbelebt worden, sie wäre damit durchgekommen.

«Sie sind das Flittchen, das ich in Toorak gesehen habe!» rief er aus und stürzte sich auf sie.

Sein Geschrei lockte den Bullen und den Gentleman

heran, und alle drei stürzten sich gemeinsam auf sie. Dem Bullen konnte sie leicht ausweichen, aber als sie nach dem Messer in ihrem Strumpfband langte, warf ihr Gentleman Jim ein Handtuch über den Kopf und schlug sie mit einem stumpfen Gegenstand. Alles um sie herum wurde dumpf, doch sie war noch bei Bewußtsein. Sie sackte in die Arme ihres Bezwingers und hörte angestrengt mit.

«Wenn ich's dir sage, sie ist die Nutte, die ich in der Toorak Road gesehen habe, in der Nacht, als wir den Spaghetti abgestochen haben!» hörte sie Cokey erklären.

«Na, dann stecken wir die beiden Vögelchen doch in einen Käfig, und Ihre Majestät wird sich mit beiden beschäftigen. Komm schon, Bulle, hör auf zu geifern. Sie ist doch nur ein kleines Nüttchen. Keine Dame würde solches Unterzeug tragen», antwortete Gentleman Jim.

Die Hand des Bullen fuhr über ihren Körper, und Phryne mußte sich beherrschen, sich nicht zu schütteln.

«Wirf sie zu dem anderen; vielleicht kriegen wir etwas aus ihnen heraus – beeil dich, Bull, der König wird in einer Stunde hier sein!»

Phryne merkte, daß man sie auf einen mit Öltuch bedecktem Boden fallen ließ, und ihr war klar, daß man irgendwann in den nächsten paar Stunden ein Licht direkt auf ihr Gesicht richten würde.

Erst als die Morgendämmerung der schrecklichsten Nacht ihres Lebens ein Ende setzte, kam sie wieder zu Bewußtsein. Sie lag in Saschas Armen und hatte fürchterliche Kopfschmerzen.

«Ich darf nicht mehr so viele Cocktails durcheinander trinken», sagte sie benommen, während sie ihr Gesicht zu seiner Brust drehte. «Mein Kopf tut weh.»

Sobald sie erwacht war, hatte sie alle Geschehnisse wieder klar vor Augen. Sascha öffnete den Mund, um zu sprechen, doch sie hielt fest ihre Hand davor. Sie verlagerte ihre Umarmung aufwärts und brachte ihren Mund an sein Ohr.

«Wir kennen einander nicht», flüsterte sie, stöhnte dann und verfiel in ihren australischen Akzent.

«Wer sind Sie?» fragte sie und setzte sich vorsichtig auf. Sascha hatte den Wink begriffen. Er antwortete steif: «Ich bin Sascha, Mademoiselle. Und wer sind Sie?»

«Janey Theodore», antwortete Phryne, und nannte den erstbesten Namen, der ihr in den Sinn kam, auch wenn sie damit einen bekannten Politiker verleumdete.

«Mein Kopf schmerzt. Wo sind wir?»

Sie sah sich um. Der Raum war klein und besaß ein hohes Fenster aus blauem und rotem Bleiglas. Er war einigermaßen sauber und mit zwei Sofas und einer Vitrine eingerichtet. Dem Geruch nach Hautöl zu urteilen, diente er als Massageraum. Phryne untersuchte sich. Sie hatten ihre Pistole gefunden, das Messer im Strumpfband, und ihr Bademantel war verschwunden. Mit dem französischen Hemdhöschen und den Fetzen ihres Kleides war sie spärlicher bekleidet, als es im allgemeinen zum Baden statthaft war. Sascha saß auf dem Boden, auf dem er Phryne die ganze Nacht gewiegt hatte. Er trug eine Flanellhose und ein dunkles Hemd, das ziemlich zerschnitten und zerrissen war, und seine Augen waren vom Schock ganz ausgehöhlt.

«Sie haben uns etwas Wasser dagelassen; trinken Sie etwas», schlug er vor. Phryne spülte sich damit den Mund aus und spuckte es aus.

«Man weiß nie, was drin ist», sagte sie. «Was ist in der Nacht passiert?»

«Nachdem sie mich hier eingesperrt hatten, brachten sie auch Sie hierher. Ich hatte Angst, Sie wären tot, Mademoiselle, aber Sie lebten. Ungefähr zwei Stunden später sah jemand nach uns. Ich konnte nicht erkennen, wer es war, aber sie richteten die Taschenlampe auf Sie, schienen Sie zu erkennen und machten das Licht aus. Seitdem nichts.»

«Was haben sie mit dir gemacht?» fragte Phryne in ihrer eigenen Stimme. Ihr Täuschungsmanöver machte jetzt keinen Sinn mehr. Sascha öffnete sein Hemd, und Phryne sah furchtbare Brandblasen auf seiner glatten Haut.

«Zigarettenstummel?» riet sie. Sascha nickte.

«Sie wollten wissen, wo Großmama und Elli stecken. Ich habe ihnen nichts gesagt. Aber ich bin sicher, sie werden wiederkommen.» In seinen Worten war Fatalismus zu erkennen. Phryne spürte, wie der Ärger in ihr hochstieg und stand schwankend auf.

«Es ist Morgen, sie könnten uns wenigstens was zum Frühstücken geben. Hallo», brüllte sie und trat gegen die Tür, was sie sogleich bereute – ihre Füße waren nackt. «Hallo, huhuu! Wie wär's mit ein bißchen Frühstück?»

Die Tür wurde mit einem Ruck aufgerissen. Der Bulle packte mit einer seiner riesigen Pranken Phryne und mit der anderen Sascha. Er zog sie widerstandslos aus dem Massageraum, über den Flur und in die Schwimmhalle, wo er sie in zwei Bambusstühle stieß.

«Warten Sie hier», murmelte der Bulle und knallte die Tür hinter sich zu. Phryne stand sofort aus dem Stuhl auf und fing an, die Fluchtmöglichkeiten unter die Lupe zu nehmen. Die Fenster waren vergittert, die Tür verschlossen und die Einrichtung sehr spärlich. Phryne entdeckte ihren Federumhang, der über einem Stuhl hing. Die Pistole war weg, aber ihre Zigaretten waren noch darin. Sie zündete eine für sich und eine für Sascha an, und sie rauchten schweigend.

«Was werden sie mit uns machen?» fragte Sascha.

«Ich vermute, etwas unnötig Schreckliches, damit wir begreifen, wie ungeheuer dämlich es von uns war, den Schneekönig entthronen zu wollen. Und dann werfen sie uns mit ein paar hübschen Ziegelsteinen als Gewicht in den Fluß. Ach je, ich frage mich, wer wohl mein ganzes Geld erben wird? Ich habe kein Testament gemacht. Ich hätte es so gerne einem Heim für Katzen hinterlassen.»

«Zu spät», sagte Cokey Billings grinsend von der Türschwelle aus. «Aber das mit dem Fluß wird nichts – es tauchen zu viele wieder auf. Wir haben etwas für Sie und diesen Gigolo geplant, Miss Fisher, was der König ‹ein nettes, skandalträchtiges Ableben› nennt.»

«Wollen Sie damit dagen, daß ich die ganze Zeit gewartet habe und Eure Majestät jetzt gar nicht kennenlernen werde?» fragte Phryne empört.

In diesem Moment wurde Cokey beiseite geschoben, und der Schneekönig trat ein und nahm sich mit einem Anflug königlicher Würde einen Bambusstuhl. Sascha riß den Mund auf. Phryne zündete sich noch eine Zigarette an.

«Hallo, Lydia», sagte sie gleichgültig. «Haben Sie sich von der kleinen Überdosis Arsen erholt?»

Lydia Andrews starrte Phryne erregt an, denn sie war durch ihre fehlende Überraschung gekränkt. Sascha faßte Phryne am Arm.

«Der Schneekönig ... ist eine sie?» fragte er verwirrt.

«Aber ja. Und sie hat den hübschen kleinen Plan gehabt, ihren Mann zu ermorden. Er ist zwar zugegebenermaßen ein Flegel und verschleudert das Familienvermögen, aber eine Arsenvergiftung ist doch ein zu gemeiner Tod. Es würde mich nicht wundern, wenn Ariadne und Beatrice einen ähnlichen Abgang für ihre unzureichenden Gatten geplant hätten. Bei so etwas sind aller guten Dinge drei – wie bei Erregung öffentlichen Ärgernisses und Flugzeugabstürzen. Sie könnten mir wenigstens eine Tasse Tee anbieten, bevor Sie mich töten, Lydia!»

«Was haben Sie da über meinen Mann gesagt? Er versucht mich umzubringen, das haben Sie selbst gesagt.»

«Ihre Helfershelfer haben mich vielleicht durch einen schwerwiegenden Fehler geschnappt – ich hätte niemals ohne Hilfe hier einbrechen dürfen, aber Sascha ist mein Liebhaber, und ihre Freunde folterten ihn ... sehen Sie einer Frau ihre Regungen nach. Aber ich bin nicht blöd. Nachdem Ihr Dienstmädchen mir berichtet hatte, daß Sie ein Päckchen Arsen in Ihrem Reisenecessaire aufbewahren und Ihre Haare und Fingernägel voll davon waren, wäre jeder Dummkopf darauf gekommen, was Sie vorhatten. Eine kleine Dosis, die immer ein bißchen gesteigert wurde, immer nur so viel, um Sie krank werden zu lassen und Ihre Widerstandskräfte zu stärken. Und plötzlich: Tod eines prominenten Geschäftsmannes, Arsen gefunden, Ehefrau unter Verdacht. Aber dann: Arsenspuren bei der Ehefrau gefunden, der Beweis, daß sie die Tassen vertauscht hat, als sie ihren abendlichen Kakao tranken und *voilà*! Geschäftsmann hat versucht, seine Frau zu ermorden, eigener Tod durch Versehen, große Anteilnahme und der gesamte Grundbesitz. Sehr hübsch ausgedacht, Lydia, sehr hübsch ausgedacht. Könnte ich nun eine Tasse Tee haben?»

«Bringen Sie uns Tee, Cokey», befahl Lydia. «Bull, bleib

bei Mrs. Fisher und brich ihr den Arm, wenn sie die kleinste Bewegung auf mich zu macht.»

Sascha hatte die Vogelbrosche entdeckt, die Lydias allzu vornehmes Kleid zierte. Er beugte sich vor und starrte darauf. Als er sie zum letzten Mal gesehen hatte, hielt sie eine Orchidee am Kleid seiner Mutter.

«Aber warum der Mord, wenn Sie mit dem Kokainhandel sowieso schon ein Vermögen machen?» fragte Phryne, um die Unterhaltung in Gang zu halten. Lydia zuckte zusammen.

«Er hat ... Dinge von mir verlangt. Er nannte es seine ehelichen Rechte. Er ist ... widerlich. Er muß fort», sagte Lydia.

Phryne starrte sie an. Sie sah noch immer aus wie eine Porzellanpuppe: die blonden Löckchen, die rosa Wangen und ihr Babygesicht. In der Art, wie sie so anmutig ihre Männer herumkommandierte, lag etwas unbeschreibbar Schreckliches. Phryne lehnte sich an Sascha, der seinen Arm um sie legte.

«Wissen Sie, ich hätte schwören können, daß Sie etwas mit mir im Schilde führten», bemerkte sie leise. «Zielen Ihre Vorlieben in meine Richtung, Lydia?»

Ein sauertöpfischer George schob den Teewagen herein.

«Soll ich die Mutter spielen?» fragte Lydia lächelnd und goß Tee ein.

«Milch und Zucker?» Sascha und Phryne sahen einander verwundert an.

«Milch, aber keinen Zucker», sagte Phryne. «Und stark, bitte, ich glaube, ich hatte einen ziemlichen Schock.»

Sie trank durstig ihren Tee und aß zwei Gurkensandwiches. Sie überlegte, ob der Bulle sie wohl zubereitet hätte und lachte verhalten. Sascha trank voller Verwunderung seinen Tee.

«Nun, Sie haben die Wahl, Miss Fisher», sagte Lydia förmlich. «Entweder Sie schließen sich mir an oder ... Sie müssen sterben.»

«Mich Ihnen anschließen? Bedeutet das auch, daß ich mit Ihnen ins Bett muß?» fragte Phryne grob. «Wenn ja, dann nein danke.»

Lydia errötete. «Keineswegs. Das Geschäft läuft hervorragend. Die allgemeinen Geschäftskosten sind gering, die Frachtpreise niedrig und das Personal vertrauenswürdig.»

«Wie sind Sie zum Schneekönig geworden?» fragte Phryne. Lydia spielte an ihrer Fabergé-Brosche herum.

«Als ich während meines ersten Ehejahres in Paris lebte, habe ich nach einer guten Anlagemöglichkeit Ausschau gehalten. Ich schloß Bekanntschaft mit einer Frau, die mit dem Gedanken spielte, sich von ihrer Königsherrschaft zurückzuziehen. Ihr gesamter Absatzmarkt befand sich in Europa, an Australien hatte sie nie gedacht. Ich hatte ein bißchen Geld von Tantchen zum Investieren übrig, und ich wollte mich unbedingt von meinem Mann unabhängig machen. Also kaufte ich auf der Stelle das Geschäft. Die Rohstoffhändler liefern alle nach Paris – damit habe ich nichts zu tun –, und die Ware kommt hier als *Chasseurs-et-Cie*-Badesalz an. Wir haben eine sehr erlesene Kundschaft, alles wohlhabende Damen, und Gerda überbringt die Schönheitsmittel, wenn sie Madame zu den Massagen begleitet.»

«Steckt Madame Breda auch mit drin?» fragte Phryne.

«Nein. Sie gestattet uns gegen ein Entgelt, die Kosmetik von *Chasseurs et Cie* in ihren Räumen zu lagern. Sie würde sich nie auf etwas so Gesundheitsschädigendes wie Drogen einlassen. Wie ich sagte, ist ihr Dienstmädchen Gerda unsere Hauptverkäuferin.»

«Und die Apotheke in Little Lon?» drängte Phryne und nahm eine zweite Tasse Tee.

«Ja, da findet unser Straßenverkauf statt», bestätigte Lydia und trank grazil ein Schlückchen Tee. «Na los, Miss Fisher, mit Ihren Verbindungen können wir einen weltweiten Handel eröffnen, nicht nur Paris und Melbourne. Jeden Tag werden mehrere Millionen Pfund für Drogen ausgegeben. Es wäre zu dumm, wenn wir uns diese Monopolstellung entgehen ließen.»

«Ein interessanter Vorschlag. Was wäre die Alternative?»

«Wir werden Sie beide ausziehen und ins türkische Bad stecken», sagte Lydia und biß einen exakten Halbkreis aus ihrem Sandwich heraus. «In ungefähr drei Stunden werden Sie erstickt sein.»

«Wäre es nicht ein wenig schwierig, das Madame Breda zu erklären?» fragte Phryne. Lydia dachte kurz nach.

«Nein. Wir werden ihr erzählen, daß Sie sich besonders intensiv Ihrem neuen Zeitvertreib widmen wollten, damit meine ich ihn da.» Sie deutete mit ihrem perlmuttweißen Zeigefinger auf Sascha. «In dschungelartiger Atmosphäre. Sie waren so erschöpft und berauscht von Ihrer Lust, daß Sie eingeschlafen sind und ein furchtbares Unglück geschehen ist. Vielleicht wird das türkische Bad daraufhin geschlossen, aber niemand wird die Wahrheit herausbekommen.»

«Schön. Ich habe das Gefühl, es wäre nur gerecht, Ihnen mitzuteilen, daß eine vollständige Erklärung über Ihre Beteiligung an diesem Ring und Ihren Plan, Ihren Mann zu töten, zusammen mit Proben Ihrer Ware bereitliegt und an einen freundlichen Polizeibeamten, dessen Namen ich vergessen habe, übersandt wird, wenn ich bis Mittag nicht zurück im Windsor bin. Jetzt haben Sie ordentlich was zu kauen, aber verschlucken Sie sich nicht dabei. Noch etwas Tee, bitte», verlangte Phryne. Lydia goß ihr nach, setzte sich und starrte sie an.

«Und wo wollen Sie das hinterlegt haben? Bei dieser netten Suffragette von einer Ärztin? Oder in Ihrer Suite bei Ihrem Dienstmädchen? Ich komme nicht hinein, Ihr Mädchen hat die Tür verriegelt – ohne Zweifel auf Ihren Befehl hin. Aber ich denke, das war nur ein Ablenkungsmanöver. Bestimmt ist sie bei der Ärztin.»

«Ach, meinen Sie? Und was glauben Sie, wo ich gestern zu Abend gegessen habe?» lockte Phryne sie auf die falsche Fährte.

Lydia wurde bleich. «Bei Mr. Sanderson?»

«Was meinen Sie? Wo wäre so ein Auftrag wohl am sichersten aufgehoben? In den Händen eines dummen Mädchens, bei einer alten Frau oder bei einem Parlamentsabgeordneten und Staatsmann, der zudem noch einen Safe besitzt? Das Spiel ist aus, Lydia. Geben Sie auf.»

Lydia stand starr vor Wut auf. «Kommt», fauchte sie die herumstehenden Männer an und ging ihnen voran aus dem Zimmer.

Phryne wartete, bis die Tür geschlossen und verriegelt war, bevor sie sich ein Sandwich nahm und es auseinanderklappte.

«Leg das auf deine Wunden, Sascha, und hör mir zu. Ich glaube, ich habe den schwachen Punkt der guten Mrs. Andrews gefunden.»

Sascha schmierte sich gehorsam Butter auf die Wunden und hörte zu.

«Das wird nicht klappen», sagte er schließlich.

«Es muß», antwortete Phryne. «Oder gefällt dir etwa die Vorstellung, als dampfgegartes Sascha-Surprise zu enden? Sie wird sowohl zu Sanderson als auch zu Dot und zu Elizabeth jemanden schicken. Ich hoffe, sie alle wissen, auf sich selbst aufzupassen. Das bedeutet, sie wird hier bei uns bleiben. Was ist, machst du mit?»

«Ich bin nicht in Bestform», gab Sascha zu und strich sich die Haare glatt. «Aber ich werde es versuchen.»

Phryne begann, an der Tür zu horchen.

«Du gehst ins Windsor, Bull, und besorgst den Brief, von dem Miss Fisher gesprochen hat. Sie wohnt in Suite dreiunddreißig. Verhalte dich unauffällig und komm nicht ohne ihn zurück, oder ich werde sehr ungemütlich. Mr. Billings: Sie werden ins Queen Victoria Hospital einbrechen, die lästige Frau bedrohen, womit es Ihnen beliebt, und sich die Proben mit der Analyse, falls es eine gibt, schnappen. Wenn Sie wollen, können Sie sie dann umbringen. Wenn Sie erfolgreich zurückkommen, bekommen Sie eine Unze ganz für sich allein. James, Sie werden Mr. Sanderson angehen. Ich denke, der Brief liegt in seinem Safe. Seien Sie vorsichtig. Und sollten Sie versagen ...», sie kicherte, «werde ich in der Tat sehr ungemütlich. Sie erinnern sich doch noch, was mit Thomas geschehen ist, als er sich über mich hinweggesetzt hat? Ich habe immer noch das Gewehr bei mir, mit dem ich ihn erschossen habe, und niemand hat ihn bisher vermißt. Nun los mit Ihnen», sagte Lydia abschließend.

«Ich frage mich», flüsterte Phryne Sascha ins Ohr, «ich frage mich, ob sie wirklich lesbisch ist oder ob sie einfach alles Körperliche verabscheut? Was meinst du, Mond meiner Freude?»

«Ich glaube nicht, daß sie körperliche Lust empfinden kann», bemerkte Sascha, den Mund nahe an Phrynes Hals. «Rieche ich da Schuhcreme?»

«Ja, ich wollte ungewaschen aussehen. Also keine Lesbierin?»

«Ich glaube nicht. Ihr Auftreten dir gegenüber ist nicht... nicht vertraulich genug. Sie ist eher wie ein Kind, mit einem unerbittlichen Willen und kindlichem Gemüt. Sie wird weder dich noch mich anfassen – es wäre einen Versuch wert. Sie findet Sex abstoßend, das liegt klar auf der Hand. Schmutzig. Ekelerregend. Ihr Mann hat sie mißhandelt; keine Frau wird eisig geboren... wie ist das richtige Wort?»

«Frigide. Dann ist alles nur eine Ersatzbefriedigung?»

«Nein», flüsterte Sascha. «Die Macht ist es, die sie wirklich liebt. Hast du ihre Augen gesehen, als sie davon sprach, uns umzubringen? Sie leuchteten, wie bei einer verliebten Frau. Die Macht ist es, die sie liebt.»

«Und Sex haßt sie.»

«Und in ihrem Haß und ihrer Abscheu vor Sex liegt unsere einzige Chance, nicht wahr?»

«Ja», bekräftigte Phryne.

Dr. MacMillan mußte hart um das Baby in Steißlage kämpfen, und als es sicher auf der Welt war, mit der Mutter, die es sich hartnäckig in den Kopf gesetzt hatte zu sterben. Es war neun Uhr, als sie befriedigt feststellte, daß beide sich zum Bleiben entschlossen hatten, so daß sie hinaufgehen und ein Bad nehmen, eine starke Tasse Kaffee trinken und eine Stunde schlafen konnte, bevor die Arbeit des neuen Tages begann. Sie war aufgestanden, hatte sich angezogen, sich vor dem Spiegel die graumelierten Haare gekämmt, als ein

Geräusch am Fenster ihre Aufmerksamkeit erregte. Jemand kletterte die Regenrinne hoch. Es war ein sehniger Mann mit einem schwarzen Seidenschal um den Hals.

Die Ärztin war daran gewöhnt, daß jedes reine Frauenkrankenhaus Spanner und Perverse aller Art anzog. Sie mußte an das Handgemenge denken, das sie einst mit einem Fuhrmann in Glasgow hatte, und lachte in sich hinein. Sie wartete, bis Cokey Billings Kopf durch das offene Fenster hineinlugte und schlug ihm dann kraftvoll die Waschschüssel, die aus dickem weißem Krankenhausporzellan war, auf den Hinterkopf und verfolgte mit geübtem Auge seinen Abwärtssturz. Sie schätzte, daß ein Sturz aus dem zweiten Stock ihn wahrscheinlich nicht töten würde und ging hinunter, um, falls notwendig, lebensrettende Maßnahmen zu ergreifen.

«Die gute Waschschüssel verschwendet», murmelte Dr. MacMillan bedauernd.

Der Bulle fand das Windsor, ohne sich mehr als drei- oder viermal zu verlaufen und starrte mißmutig den Portier an. Ihm war mit einer solchen Redegewandtheit der Eintritt verwehrt worden, daß er verletzt war und nicht wußte, was er tun sollte. Wenn er nicht hineinkam, wie sollte er dann Suite dreiunddreißig nach dem Brief, den seine Chefin haben wollte, durchsuchen? Das Denken hatte dem Bullen schon immer Kopfschmerzen bereitet. Während er wartete, beschloß er, in der nächstliegenden Gastwirtschaft, von der aus er die Tür im Auge behalten konnte, etwas zu trinken.

Gentleman Jim, der durch das Fenster in Mr. Sandersons Bibliothek einstieg, fand den Safe und drehte das Zahlenrad zwischen seinen Fingern. Seine Ohren, die in dieser Arbeit geübt waren, nahmen das erste schwache Klicken wahr, das ihn zur Entschlüsselung der Zahlenkombination führen sollte. Es fehlten ihm nur noch zwei Zahlen, als er von zwei Polizisten von hinten hart gepackt und in Handschellen gelegt wurde. Mr. Sandersons Bibliotheksfenster war mit dem neuen Einbruchtelefonalarm gesichert, der in der Russell Street geklingelt hatte. Wie es sich für einen Gentleman geziemte, ließ er sich ohne Widerworte abführen.

Je weiter der Stundenzeiger fortschritt, desto besorgter wurde Dot. Sie hatte keine Nachricht von Phryne erhalten, aber jemand hatte an der Rezeption nach ihr gefragt.

Sie hatte alle Strümpfe gestopft und fühlte sich nicht wohl dabei, untätig warten zu müssen. Zudem war sie sehr hungrig, denn seitdem sie in Phrynes Dienste getreten war, war sie es nicht mehr gewöhnt, ohne Frühstück auszukommen.

Es war zehn Uhr morgens.

Als sie auf dem teppichlosen Flur das forsche Klappern von Lydias Absätzen hörte, legte Phryne sich der Länge nach auf Sascha.

Die Tür wurde aufgeschlossen, und Lydia, die ohne ihre Begleiter kam, fand eine schockierende Szene vor, die eine Kränkung für ihr Auge darstellte. Phryne hatte ihr arg mitgenommenes Kleid ausgezogen, und Saschas blutbeflecktes Hemd lag auf dem Boden. Phryne hatte ihr Hemdhöschen bis hinunter zu den Lenden aufgerissen, um Saschas Händen freien Lauf zu ermöglichen, und beugte sich mit vor Lust glänzenden Augen zurück.

Lydia erstarrte und kreischte: «Aufhören!»

Das Liebespaar schenkte ihr keine Beachtung. Sie fuchtelte mit dem Gewehr herum, trat einen Schritt vor, kreischte wieder und besprühte Sascha mit ihrem Speichel.

«Lassen Sie sie los!» Ihr Gesicht verzog sich zu einer Fratze. Mit gefletschten Zähnen schlug sie mit dem Gewehr auf Sascha ein, und im gleichen Moment warf Phryne ihr das Hemd über den Kopf und ergriff die Hand mit der Waffe.

Sie wälzten sich am Boden, und als Phryne sich auf sie kniete und ihre Hand hart gegen die Fliesen am Rand des Schwimmbeckens schlug, versuchte Lydia grunzend, sie zu beißen.

«Hilf mir, Sascha, sie ist so stark wie ein Ochse!» keuchte Phryne, und der junge Mann gab sein Gewicht zu Phrynes dazu.

Lydia ließ mit gebrochener Hand die Waffe los. Phryne drehte sie herum und fesselte ihr mit den Resten ihres übel zugerichteten Kleides die Handgelenke. Lydia kämpfte in stiller Wut, bis Sascha sie an den Knöcheln packte und ihr die Beine fesselte, worauf sie so weich wie eine Flickenpuppe wurde und wimmerte.

«Du bleibst hier sitzen und paßt auf, Sascha, und geh nicht näher als jetzt an sie heran. Beobachte sie einfach – du brauchst nicht mit ihr zu reden. Ich möchte mich umsehen. Ich hoffe, daß niemand hier ist, aber ich weiß es nicht sicher. Du hast wirklich das Talent zum Intriganten.» Phryne öffnete vorsichtig die Tür und horchte. Nichts rührte sich. Über sich hörte sie ein schwaches Pochen, was ihr zeigte, daß Gerda am Leben war. Sie schuldete Gerda einen Gefallen, denn schließlich war sie es gewesen, die sie vor der Rose gewarnt hatte.

Phryne fand in der Küche eine Schnur und sah hinaus in den Hof. Als sie ihn im Tageslicht sah, schauderte es ihr, daß sie ihm jemals nahe gekommen war.

«Ein paar Kanister Paraffin und ein Streichholz wären für diesen Ort noch das Beste», murmelte sie. Sie verriegelte die Tür, da sie nicht auf böse Überraschungen von hinten aus war und ging zu Sascha zurück. Gemeinsam schnürten sie Lydia so fest zusammen wie einen Weihnachtstruthahn. Phryne holte sich ihren zerlumpten Umhang und legte ihn sich um.

«Ich verstehe das nicht», murmelte Lydia mit bleichen Lippen. «Alles lief so gut, bis Sie aufgetaucht sind ...»

«Und wissen Sie, was das Tollste an der Sache ist?» sagte Phryne kichernd. «Ihr Vater hat mich geschickt, damit ich herausfinde, ob Ihr Mann Sie vergiftet. Auf das Schneegeschäft bin ich nur gestoßen, weil es Saschas Mutter umgebracht hat. Nun, jetzt hast du deinen Schneekönig gefunden, Sascha, den Mann, den du zu töten gelobt hast – willst du es noch immer tun?»

Sascha schreckte zurück. «Diese Frau ist ein Ungeheuer», sagte er langsam. «Sie ist die Ausgeburt eines Höllenhundes, eine Dienerin des Antichristen, aber ich möchte Sie nicht töten.»

«Wir haben Gesellschaft», sagte Phryne und nahm ihre Waffe wieder an sich, als das Vorderfenster klapperte und Bert, gefolgt von Cec und mehreren Polizisten hereinsprang.

«Wir hätten es wissen müssen, Cec», rief er ärgerlich, als er jenseits von Phrynes Schußlinie zum Stehen kam. «Retten? Sie will gar nicht gerettet werden. Sieht eher so aus, als hätte Sie sich die ganze Zeit prächtig amüsiert», fügte er hinzu, während er Phrynes eleganten Körper begutachtete,

der zum Großteil unter der zerrissenen Kleidung hervor-
schaute. «Ich habe ein paar Bullen mitgebracht, Miss, und
ich bin zu spät, weil diese Blitzmerker mir nicht glauben
wollten. Sie mußten erst bei dem Apotheker und seinem
Mädchen auflaufen und ihr Lager durchkämmen, bevor sie
überzeugt waren. Bullen? Laß mich einer los mit den Bullen.»

Ein verlegener Polizeibeamter trat vor und legte Lydia
Handschellen an. Sie ließ es widerstandslos geschehen, aber
drehte sich in ihrem festen Griff um und spuckte Sascha direkt ins Gesicht.

«Was für Manieren», sagte der Polizist tadelnd. «Ich soll
Ihnen etwas vom Inspektor ausrichten, Miss Fisher. Er hat
alle Proben und möchte Sie sobald als möglich sehen. Vielleicht, wenn Sie sich angezogen haben», fügte er mit gesenk-
tem Blick hinzu.

«Wie hat Dot die Nachricht durchbekommen?» fragte
Phryne. Der Polizist grinste.

«Sie rief den Inspektor an und bat ihn, sie abzuholen. Einfach, was? Und wir haben einen Kerl dingfest gemacht, der
versuchte, Ihr Dienstmädchen zu überfallen, als sie mit dem
Inspektor herauskam. Der Portier hatte einen Hinweis gegeben. Ein Baum von einem Kerl. Wir brauchten vier Mann,
um ihn zu Fall zu bringen. Ich werde mich um die hier kümmern, Miss.»

«Zeigen Sie mir Ihren Dienstausweis, bitte», verlangte
Phryne, die die ganze Zeit ihre Pistole fest in der Hand hielt.
Der Polizist zückte zuvorkommend eine Karte, die ihn als
Kriminalwachtmeister Malleson auswies, und Phryne
senkte die Pistole.

«Ich bin von Natur aus mißtrauisch», bekannte sie. «Da

ist auch noch Gerda. Sie hat mich auf Mrs. Andrews Fährte gebracht. Leider mußte ich ihr eine Stichwunde zufügen; ich habe sie an ihrem Bett festgebunden. Sie werden eine Trage brauchen.»

Kriminalwachtmeister Malleson nickte, erteilte einige Befehle und brachte Lydia in Begleitung von drei Polizisten hinaus, steckte sie in einen Polizeiwagen und sah zu, wie er davonfuhr. Phryne schlang Bert die Arme um den Hals und küßte ihn auf den Mund.

«Wir haben es geschafft!» rief sie. «Laßt uns schnell in einen Pub gehen und feiern. Nein, am besten kommt ihr alle mit mir zum Mittagessen.»

«Äh ... wollen Sie so auf die Straße gehen, Miss?» fragte Bert mit süffisantem Grinsen. Phryne zog Saschas Hemd über ihre ruinierte Unterwäsche und schlang sich wieder den Umhang um. Sie sah ziemlich unbeschreiblich aus.

An der Tür hörte man auf Deutsch einen Aufschrei der Entrüstung, als Madame Breda eintrat und auf Gerda traf, die auf einer Trage hinausgebracht wurde. Madame Bredas rosige Wangen färbten sich dunkelrot, als sie Gerdas Beschimpfungen vernahm.

«Keine Zeit für Erklärungen, Madame. Ihr Haus wurde von einem Drogenring mißbraucht. Kommen Sie mit zum Lunch, und ich erkläre Ihnen alles – oder wenigstens das meiste. Um ein Uhr, im Windsor!»

Phryne spuckte eine verirrte Feder aus, umarmte Sascha und Bert, tanzte hinunter zu dem unansehnlichen Taxi und fuhr, nur mit einem Hemd und einem Lächeln bekleidet in das allerfeinste Hotel Melbournes.

SECHZEHN

Als sein klarer Verstand seinen Gesetzen folgt,
rührt er sich nicht auf seinen kupfernen, scharfen Klauen.

Der Vogel mit den kupfernen, scharfen Klauen,
Wallace Stevens

Der Auftritt von Miss Fisher, die, in Lumpen gehüllt, von einem Tänzer mit freiem Oberkörper und zwei grinsenden Taxifahrern zum Eingang hinaufbegleitet wurde, hinterließ bei dem Portier, der geschworen hätte, bereits alles gesehen zu haben, einen nachhaltigen Eindruck.

Dot stand auf der Treppe und weinte wie bei einer Beerdigung, doch die übersprudelnde Miss Fisher machte, als sie am Portier vorbeiging, mit ihren nackten Beinen einen Luftsprung, und begab sich durch die Halle zum Aufzug, als würde sie in keinster Weise einen erschreckenden Anblick bieten. Die Welt des Portiers geriet aus den Fugen.

Phryne schloß Dot fest in die Arme.

«Du warst großartig, Dot, einfach großartig – ich bin stolz auf dich. Bestell jetzt bitte Kaffee für vier und such ein Hemd für Sascha, denn er muß nach Hause und die Prinzessin und Elli abholen. Ja, du mußt», sagte sie tadelnd, und brachte Sascha mit einem Kuß mitten auf den Mund zum Schweigen. «Und ich muß ein Bad nehmen, ich rieche wirklich übel! Um eins im Lunchsaal, Sascha. Ruf unten an und bestell einen Tisch für zehn Leute, Dot. Bert und Cec, kommen Sie herein – und entschuldigen Sie mich.»

Phryne flüchtete ins Badezimmer und genoß das Dusch-bad. Aus dem Bad quoll eine Dampfwolke, und man konnte ein paar Gesangsfetzen hören. Dot reichte Sascha ein schlachterblaues Herrenhemd, das Phryne manchmal zu einem schwarzen Rock trug, und verschwand. Bert und Cec nahmen zaghaft inmitten des ganzen Luxus Platz und tran-ken Kaffee aus kleinen Tassen.

«Ist alles vorbei?» fragte Dot mit matter Stimme. Bert tätschelte sie beruhigend.

«Ja, der Kokainring ist gesprengt, und die Anführerin und ihre Männer sind alle hinter Gittern. Heute nacht kön-nen Sie unbehelligt in Ihrem Bett schlafen.»

Dot wischte sich über das Gesicht und lächelte seit Tagen zum ersten Mal.

«Ach, der Tisch!» rief sie aus und rief mit großer Gelas-senheit den Oberkellner an. Bert war beeindruckt.

«Ich glaube», sagte er, während er sich eine zweite Tasse einschenkte, «sie hatte kein bißchen die Flatter. Sie muß in dem Badehaus ganz schön in der Bredouille gesteckt haben, aber sie war die ganze Zeit seelenruhig. Was für eine Frau!»

Cec nickte zustimmend. Dot fand ihre Ausdrucksweise etwas respektlos, doch war sie zu müde, um sich darüber zu ärgern. Sie goß sich etwas Kaffee ein, trank ihn mit verzerr-tem Gesicht und ging dann, um einen Morgenmantel für Phryne zu suchen, falls sie vergessen sollte, daß sie Gäste hatte und nackt aus dem Badezimmer gesprungen kam.

Phryne genoß unterdessen den heißen Wasserstrahl und das Gefühl zu spüren, wie geschwind der Duft von Eau-de-Little-Lon durch Le Fruit Deféndu ersetzt wurde. Sie rub-belte sich kräftig mit einem Handtuch die Haare ab und

setzte sich in die Wanne, um ihre Hände und Füße sauber-
weichen zu lassen und die Erde und den Dreck aus ihren
zahlreichen Schürfwunden fortzuwaschen. Sie hoffte, daß
sie sich nicht mit Tetanus infizieren würde. Ohne sich einen
Aufschrei zu gestatten, strich sie alle Wunden mit Jod ein
und cremte ihr Gesicht mit ‹Junge Haut› ein, das für einen
Shilling pro Tube so gut wie geschenkt war.

Als Phryne ihre Knie untersuchte, kam Dot mit dem Morgenmantel herein.

«Kein Charleston für mindestens drei Wochen», beklagte
sie sich. «Aber das ist auch das Schlimmste. Danke, Dot.
Geh jetzt und zieh dein bestes Kleid an. Du kommst auch
mit zum Essen. Ja, tust du. Und rufe Dr. MacMillan, den
netten Kriminalinspektor Robinson und Polizistin Jones an
und frag sie, ob sie auch kommen wollen. Sind Bert und Cec
noch da?»

«Ja, Miss.»

«Gut. Ich schulde ihnen fünfzig Pfund.»

Phryne zog den schlichten Morgenmantel in verschiedenen gedämpften Goldtönen an, ging hinaus und setzte sich
neben Bert auf das Sofa.

«Ich habe Ihnen noch nicht dafür gedankt, daß Sie mich
gerettet haben», stellte sie fest, während sie sich mit großem
Vergnügen eine von ihren eigenen Zigaretten anzündete.
«Wie sind Sie so schnell dorthin gekommen?»

«Wir wären eher dort gewesen und hätten vielleicht
Ihrem Freund da ein paar Brandwunden auf der Brust er-
spart, aber ich konnte diese Polizistendickschädel nicht
dazu bringen, mich anzuhören. Ich mußte einen von ihnen
quasi zu der Apotheke schleifen und ihm eins der Pulver
kaufen. Das hat ihm die Zunge betäubt, und so hat er nach

Verstärkung geschickt. Dann haben sie erst mal eine Razzia in der Apotheke veranstaltet, obwohl ich ihnen sagte, Sie wären im Vorderhaus. Es hat bis zum Morgen gedauert, bis sie in ihre Köpfe bekommen hatten, daß wir es ernst meinen. Immerhin haben wir es dann doch noch geschafft.»

«Das haben Sie, und ich bin Ihnen sehr dankbar. Hier ist der vereinbarte Lohn. Vielleicht sollten wir wieder einmal zusammenarbeiten», sagte Phryne und zu ihrem Erstaunen ging Cec darauf ein.

«Absolut.» Es war das erstemal, daß sie ihn unaufgefordert seine Meinung sagen hörte. Bert sah seinen Kumpel überrascht an.

«Meinst du?»

«Absolut», wiederholte Cec, um zu bekräftigen, daß es keine einmalige Sache war. «Bert und ich müssen uns noch um andere Geschäfte kümmern, aber wir werden zum Lunch zurück sein. Das möchte ich für mein Leben nicht verpassen.»

Phryne und Bert starrten erst Cec und dann einander an. Noch nie hatten sie ihn so lebendig erlebt. Irgend etwas war los, aber keiner von beiden wußte, was.

Bert und Cec verabschiedeten sich, und Phryne und Dot machten sich für den Lunch fertig.

Phryne zog die Unterwäsche und das Kleid über, das Dot ihr reichte, die selbst ihr besticktes Leinenkleid trug. Sie bürstete sich kräftig die Haare und setzte ein blaues Hütchen mit einer kecken Krempe auf, und Dot trug einen eng anliegenden Glockenhut.

Sie begutachteten sich selbst im Spiegel: zwei schlanke junge Frauen in eleganter Garderobe.

«Wirst du jetzt kündigen, Dot?» fragte Phryne Dots Spiegelbild. «Das Ganze ging doch ein bißchen über deine Pflichten hinaus, nicht?»

«Nein, Miss!» Dots Spiegelbild sah bestürzt aus. «Wie, soll ich jetzt aufgeben, wo ich gerade anfange, gut darin zu werden?»

«Alice, die Ärztin sagt, du kannst nächste Woche nach Hause gehen.» Cec saß an Alices Bett und hielt ihre Hand. Sie hatte kleine rundliche Hände, die sonst von kleinen Frostbeulen bedeckt und vom Waschen gerötet waren. Durch die erzwungene Ruhe hatte Alice zum erstenmal in ihrem Leben die Hände einer Dame bekommen. Langsam wurden sie kräftiger, dachte Cec, als er sie drückte, und Alice erwiderte den Druck. «Was ich sagen möchte, ist ... willst du mich heiraten? Ich besitze die Hälfte eines Taxis, habe eine Wohnung und ... der miese Kerl, der dich in Schwierigkeiten gebracht hat, ist mir egal, obwohl ich ihm das Genick brechen würde, wenn ich ihn kennen würde und ... ich glaube, das wäre keine schlechte Idee», sagte Cec stockend und errötete.

Alice setzte sich auf und lächelte ihn an. Er war groß, schlacksig und ihr treu ergeben, und sie liebte ihn von ganzem Herzen. Doch dieses Mal wollte Alice keinen Fehler begehen.

«Du hast Mitleid mit mir», sagte sie. «Ich will nicht, daß du mich nur aus Mitleid heiratest.»

«Das ist nicht der Grund, warum ich dich heiraten will», sagte Cec. Alice spürte die Kraft, mit der er das weiße Krankenhausbettlaken umfaßte und sah in seine dunkelbraunen Augen.

«Gib uns sechs Monate Zeit», schlug Alice vor. «Bis es

mir besser geht und ich wieder in meiner gewohnten Umgebung bin. Zu Hause bei meinen Eltern. Frag mich in sechs Monaten noch einmal, Cec», sagte Alice. «Dann sehen wir weiter.»

Cec lächelte sein eigentümliches, wunderschönes Lächeln und tätschelte ihre Schulter. «Abgemacht», sagte er.

«Und, was hat sie gesagt?» fragte Bert, der draußen gewartet hatte. Cec grinste.

«Sechs Monate, sie hat gesagt, ich soll sie in sechs Monaten noch einmal fragen.»

«Das hört sich nicht so doll an», bemerkte Bert.

«Mir reicht es!» jubelte Cec.

«Mann, du bist wirklich vernarrt in dieses Mädchen!» fauchte Bert, der überhaupt nicht begeistert von dieser neuen Wendung war. «Los, du verliebter Narr, das könnte unsere einzige Gelegenheit sein, im Windsor zu Mittag zu essen.»

Der Speisesaal des Windsors war voll besetzt, und der Oberkellner hatte nur deswegen einen Zehnertisch zur Verfügung stellen können, weil er eine Gesellschaft mit irrwitziger Geschwindigkeit durch die einzelnen Gänge des Menüs gejagt, sie mit einem strahlenden, atemlosen Lächeln hinauskomplimentiert, die Tischdecke eigenhändig abgeklopft und fünf seiner Untergebenen aufgetragen hatte, den Tisch in Rekordzeit neu zu decken.

Miss Fishers Gäste kamen. Dr. MacMillan lehnte den Veuve Cliquot ab und verlangte einen kleinen Whisky. Kriminalinspektor Robinson, der drei Sergeants damit beauftragt hatte, das *Chasseurs-et-Cie*-Kokain in Madame Bredas Badehaus zu zählen und zu wiegen, hatte, wie aufgetragen, Polizistin Jones mitgebracht. Ohne seine Uniform wußte er nicht so recht, worüber er sich mit ihr unterhalten sollte. Sie löste dieses Problem, indem sie sich Sascha zuwandte, der gerade mit seiner Schwester und der alten Frau hereingerauscht war und sich nun hungrig über die Hors d'œuvres hermachte, als hätte er eine Woche lang nichts gegessen. Seine Brandwunden wurden von einem weiten kunstvollen Hemd bedeckt, und er war so attraktiv wie immer. Polizistin Jones fand, daß er aussah wie ein Scheich und hing an seinen Lippen.

Inspektor Robinson verwickelte Dr. MacMillan in ein Gespräch.

«Wie geht es dem Mädchen, dem letzten Opfer von George dem Schlächter?»

«Sie wird wieder ganz gesund. Ich glaube nicht, daß sie bleibende Schäden nachbehalten wird. Eine starke junge Frau. Wie nimmt dieses Ungeheuer seine Gefangenschaft auf?»

«Nicht allzu gut, kann ich erfreulicherweise sagen. Es sieht so aus, als könnte er Gitter nicht ausstehen. Wissen Sie, er hat alles gestanden, auch die Vergewaltigungen und die Morde, aber er sagte, sie alle wären nur kleine Flittchen gewesen, die all das verdient hätten, was er ihnen angetan hat. Aber geisteskrank ist er nicht», sagte Robinson und nahm ein Käseteilchen vom Vorspeisentablett. «Jedenfalls nicht in juristischem Sinne. Aber Gott sei Dank, er wird noch vor dem Frühling hängen. Und die Welt wird ohne ihn ein Stückchen ungefährlicher sein. Außerdem haben wir den Koksring gesprengt. Selbst mein Chef hat Notiz davon genommen.»

«Sie wollten sagen, Phryne hat den Ring gesprengt und die Verbrecher gefaßt.»

«Das stimmt.»

«Und ohne sie hätten Sie auch Ihren Schlächter nicht, nicht wahr?»

«Nein. Eine wunderbare Frau. Ein Jammer, daß wir sie nicht bei uns in der Kriminalpolizei haben.»

«Vor ein paar Jahren hieß es noch, Frauen dürften keine Ärzte werden», schmetterte ihm Dr. MacMillan scharf entgegen. Robinson bestellte mehr Whisky.

Phryne, Dot, Bert und Cec betraten zusammen den Lunchsaal. Der Tisch begann, ihnen zu applaudieren. Bert und Cec waren völlig konsterniert. Phryne winkte mit einer schwungvollen, ganz und gar majestätischen Geste ab, und Sascha führte sie an den Kopf des Tisches und wies Bert mit einem kurzen Nicken an, sich auf den Platz zu ihrer Rechten zu setzen. Der Tänzer nahm ihre Hand und küßte sie unter allgemeinem Beifall.

Sie beugte sich über den Tisch, um ihn auf die Wange zu küssen, und flüsterte: «Ich möchte dich immer noch nicht heiraten, und Geld werde ich dir garantiert nicht geben!»

«Ich stehe in deiner Schuld, denn du hast mich gerächt», sagte Sascha ernst. «Was ich dir schulde, kann nicht mit Geld aufgewogen werden. Und ich habe nie daran geglaubt, daß du mich heiraten würdest, auch wenn es traurig ist. Aber sag der Prinzessin nichts davon, sonst wird sie mich anderweitig verschachern.» Phryne küßte ihn auf die andere Wange und dann auf den Mund.

«Was ist denn mit Cec los?» fragte Dr. MacMillan. «Er sieht aus, als hätte er in der Lotterie gewonnen!»

«Ach, der Mann kann einen krank machen», beklagte

sich Bert. «Das Mädchen, das wir zu Ihnen gebracht haben, Doktor, Cec hat sich über beide Ohren in sie verknallt. Und heute sah es so aus, als wäre auch sie in ihn verliebt. Da dreht sich einem der Magen um.» Bert stürzte ein Glas Champagner, den er noch nie zuvor getrunken hatte, hinunter. Er mochte den Geschmack nicht, aber er überzog die Welt mit einem rosigen Schimmer und ließ ihn die Dinge freundlicher betrachten, selbst Alice, die ihm seinen Kumpel wegnehmen würde.

Phryne vervollständigte Cecs Verwirrung, indem sie ihn zum Glückwunsch küßte. Heute war sie in der Stimmung, ihre Gefühle allen zu zeigen.

«Ich habe Ihren König gesehen, Miss Fisher», sagte der Kriminalinspektor. «Sie sieht nicht besonders zuversichtlich aus.»

«Das war aber anders, als sie mich und Sascha im türkischen Bad schmoren lassen wollte.»

«Mein türkisches Bad!» klagte Madame Breda und wurde von Bert zum Champagnertrinken genötigt, obwohl sie protestierend einwarf, niemals Wein anzurühren.

«Fangen Sie ganz am Anfang an, meine Kleine!» ermahnte sie Dr. MacMillan. «Wir wollen die ganze Geschichte hören.»

Der Kriminalinspektor, der wußte, daß das gegen das Gesetz verstieß, wollte Einspruch erheben und sie zurückrufen, entschied sich aber dagegen, als er Dr. MacMillans Blick begegnete. Die Suppe wurde aufgetragen, und Phryne begann zu erzählen.

Während nach der Suppe Kalb, Hühnchenragout und schließlich der Käse, Eis und Kaffee gereicht wurde, ackerte sie sich durch die Geschichte, ließ aber die pikanten Details aus. Selbst als grobe Skizze bereitete sie ihren Zuhörern genug Probleme. Fabergé-Broschen und die russische Revolution, die Cryers und die Apotheke in Little Lon, die eingeschmuggelten Päckchen, die immer wieder auftauchten, Verbrechen …

«Eine unglaubliche Geschichte», faßte Dr. MacMillan zusammen. «Dieses intrigante Miststück sitzt nun hinter Gittern, und alle ihre Helfershelfer sind gefaßt. Cokey Billings liegt mit gebrochenem Knöchel und einer Delle am Kopf im Krankenhaus. Was ist mit den anderen geschehen?»

«Der Bulle und Gentleman Jim sind beide bei mir untergebracht», sagte Robinson mit stiller Genugtuung. «Ebenso der Apotheker, seine Angestellte und Gerda. Das war ein präzise ausgeführter Stich, Miss Fisher, zwei Zentimeter weiter rechts, und Sie hätten sie getötet.»

Phryne, die gerade einen Schluck Kaffee nahm, verschwieg ihm die Tatsache, daß nicht ein präzise ausgeführter Stich, sondern pures Glück der Grund dafür war, daß Gerda noch lebte.

«Auf Phryne Fisher.» Dr. MacMillan erhob ihr Glas. «Möge Sie uns weiterhin als Vorbild dienen.»

Alle tranken. Cec murmelte: «Absolut.»

Phryne leerte ihr Glas.

«Sieht so aus, als wäre eine richtige Privatdetektivin aus mir geworden», sinnierte sie und zog diesen Gedanken ernsthaft in Erwägung. «Das könnte sehr amüsant werden. Und in der Zwischenzeit widme ich mich Champagner und Sascha. Zum Wohl!» rief sie und erhob ihr neu eingeschenktes Glas. So ließ es sich leben.

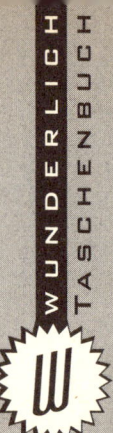